COMO SER UM INÚTIL E SE TORNAR MILIONÁRIO

Como ser um inútil e se tornar milionário

Copyright © 2022 by Alberto Junior

1ª edição: Agosto 2022

Direitos reservados desta edição: CDG Edições e Publicações

O conteúdo desta obra é de total responsabilidade do autor e não reflete necessariamente a opinião da editora.

Autor:
Alberto Junior

Preparação de texto:
Flávia Araujo (Estúdio Kenosis)

Revisão:
Debora Capella

Projeto gráfico e diagramação:
Andressa Lira

Ilustração de capa:
Rayssa Sanches

Capa:
João Paulo Putini

DADOS INTERNACIONAIS DE CATALOGAÇÃO NA PUBLICAÇÃO (CIP)

Junior, Alberto
  Como ser um inútil e se tornar milionário : liberte-se do peso de suas tarefas diárias, compartilhe riquezas e voe mais alto / Alberto Junior. — Porto Alegre : Citadel, 2022.
  208 p.

ISBN 978-65-5047-173-6

1. Desenvolvimento pessoal 2. Autoajuda 3. Desenvolvimento profissional 4. Sucesso I. Título

22-3800   CDD 158.1

Angélica Ilacqua - Bibliotecária - CRB-8/7057

Produção editorial e distribuição:

contato@citadel.com.br
www.citadel.com.br

ALBERTO JUNIOR

COMO SER UM
INÚTIL
E SE TORNAR
MILIO
NÁRIO

Liberte-se do peso de suas tarefas diárias, **compartilhe riquezas** e **voe mais alto**

CITADEL
Grupo Editorial

2022

Agradecimento

Escrever os agradecimentos no meu livro é uma tarefa que considero muito difícil, pois muita coisa aconteceu durante a escrita e foram várias as pessoas que contribuíram para que esta obra ficasse pronta. Por isso, tenho receio de deixar alguém de fora dos meus agradecimentos, injustamente. Peço que me perdoem por esse deslize, caso aconteça.

Primeiro preciso agradecer a Deus, por me aguentar, me proteger e estar sempre comigo. Tem uma coisa que me enche de alegria e gratidão sempre: a certeza de que Deus nunca me abandonou nem abandonará.

Depois tenho que agradecer a mim mesmo (risos), por não desistir desta loucura de escrever um livro com este tema, enquanto algumas pessoas ficavam me olhando sem entender muito do que eu estava falando. Sem dúvida, minha mente precisou estar blindada o tempo todo e totalmente convicta de que o tema tem fundamento comprovado e de que eu sabia do que estava falando. Enfim, decidi pagar o preço dessa ousadia. Corri os riscos necessários e sinto que isso é muito forte para mim hoje. Afinal, quebrar paradigmas é a minha vida. Muitas vezes eu quebro a cara – aliás, na maioria das vezes –, mas os acertos acabam mostrando que tudo compensa.

Preciso ainda honrar todas as porradas que tomei da vida nos negócios, nos meus quase 30 anos na venda direta, sem mi-mi-mi, em especial naqueles momentos em que perdi oportunidades por achar que eu sabia demais. Sou grato por todas essas experiências e aprendizados.

Minha gratidão também vai para todos que trabalham comigo e acreditam que podem confiar no que eu falo, porque sentem que assim aprendem muito e podem seguir vencendo, pois confiam na prova testemunhal do meu sucesso; e assim promovem seu próprio sucesso.

Agradeço ainda a muitas pessoas que participaram de alguma forma da construção desta obra, mesmo que indiretamente e sem saber, muitas vezes com uma frase em um momento de dúvida, que me provou ou reafirmou que eu estava certo naquele ponto, que me fez ter mais convicção do que eu dizia e que em algum momento me ajudou a me tornar um Inútil Competente e Relevante também durante a escrita deste livro.

Há muitas pessoas a quem tenho que agradecer, humildemente, mesmo que algumas delas talvez nem saibam ou entendam como me auxiliaram em mais esta conquista na minha vida. Entre essas pessoas, cito algumas que considero muito relevantes: Pamela M., Janguiê Diniz, Fabi Saraiva, Cassiano, Henrique, o saudoso J. Carvalho, Marcial Conte (editor da Citadel), Flavio Augusto (Wiser), Jordan Belfort (*O Lobo de Wall Street*), Dr. Daniel Verçosa, Carlos Wizard, Otto Hartman, G. Lima, Emerson Costa, João Adib (Cimed), Vilmar Blegon, minha mãe (Ida), minha avó Josefa, meu pai (Alberto), Leandro Índio Véio, Gilberto Cabeggi, Helena Toniollo, Simone dos Santos.

Neste momento, em que estou escrevendo, fico sabendo que minha filha Duda já chegou bem em sua casa. E então Mari, a mulher da minha vida, que me entende há 18 anos e é mãe das minhas pequenas Carol e Sofia, inicia uma conversa comigo, mas, logo ao ver que estou escrevendo, me diz que podemos falar depois que eu concluir este texto. E por que estou mencionando isso? O que isso tem a ver com os agradecimentos que estou escrevendo aqui? É simples, quero dizer com isso que, sem a participação da minha família, as pessoas que mais me apoiaram e entenderam o quanto este projeto é relevante para mim, nada disso seria possível. Portanto, a minha gratidão a elas é infinita, carinhosa e muito especial.

Confesso que estou exausto a esta altura do meu dia, mas também por isso devo agradecer, pois a disciplina sempre esteve comigo, e a fé e a determinação sempre me dão forças para continuar caminhando na direção da realização de meus sonhos e objetivos. Assim, sigo em frente, fazendo o que é preciso, procurando deixar um legado para forjar muitos outros profissionais *Inúteis, Competentes e Relevantes* nesta vida.

Agradeço à Existência, ao poder divino, pela oportunidade de estar neste momento com vários projetos em andamento, seja no meu negócio de seguros no Grupo Life Brasil, seja em um lançamento de treinamento, seja no novo modelo de atração de investidores em nossas franquias, seja na conclusão de meu outro livro, o *The big players* (focado no mercado de seguros de vida e previdência), seja no projeto da XGAIN, uma máquina formada para acelerar e franquear projetos de pequenos *players*, mas com relevantes capacidades.

Enfim, quero dizer que agradeço de coração por tudo o que a vida tem proporcionado a mim e aos que amo, e também a todos que fazem parte direta ou indiretamente desta minha jornada. Para mim, agradecer é um fator gerador de legados e de riquezas.

Portanto, neste momento, com o coração cheio de gratidão e felicidade, quero dizer a todos: muito obrigado!

Alberto Júnior

Sumário

Quebrando paradigmas 13

Parte 1   A quebra da crença comum 17
   Competência extrema e inutilidade prática. 18
   Riqueza e inutilidade competente andam juntas 22
   A prosperidade profissional futura vem da insignificância
   no presente. 24
   Amarras de boletins e rótulos formais. 27
   O que me importa o que os outros dizem?. 30

Parte 2   Conheça o inútil competente e relevante 33
   O ciclo do processo de inutilidade. 34
   A matriz da inutilidade profissional 41
   A dinâmica do profissional na matriz de inutilidade 48
   Os 12 princípios de um inútil competente e relevante 52
   Inútil competente e relevante *versus* útil descartável. 60

A tríplice coroa do inútil competente e relevante 64
A sua capacidade de multiplicar 68
Considerações sobre a inutilidade bem-sucedida. 71
Perguntas que farão você milionário 82
Peça passagem com a sua inutilidade 85
Cada vez mais preparado para a saída. 88

Parte 3 O caminho para se tornar um inútil competente e relevante 91
Considerações sobre como se tornar um inútil competente . . . 92
Autoconhecimento é tudo 96
Faça o que tem de ser feito. 99
Multiplique os pães. 103
Aprenda a lidar com a força do ego 108
Zona de alto desempenho. 113
Supere a perda do cargo positivamente 117
Uma mão lava a outra 120
Replicar em time de vendas 123
Líder útil é o líder inútil 129
O sucesso não admite indisciplina 131
A guerra contra seus valores 135
Alta performance e alto desempenho 138

Parte 4 Ferramentas e estratégias de um inútil competente e relevante 141
VRCC – velocidade, repetição, coerência e consistência. 142
FOMI – formação, método e intensidade 145
SIVE – sistema integrado de venda sem filtro 149
O conceito do CHAPAR. 152
Entenda de prospecção 154
Aprenda a vender sem vender 160
Antes de tomar uma decisão, entenda o problema. 163

Parte 5   Para refletir, estudar e aplicar 167
   Ideias para mentorar................................168
   Entenda de gente 171
   O seu jeito de fazer as coisas 173
   Compre problemas inteligentes 178
   O "não" não é eterno 181
   Pague pelo que não tem e cobre pelo que você tem........184
   O que importa é o seu resultado.......................187
   Prepare a sua decolagem para patamares mais altos 190
   Um inútil de respeito................................191
   Um time de feras...................................193
   Que você honre a sua nova e melhor história 200

Quebrando paradigmas

Paradigmas foram feitos para serem quebrados.
É assim que a gente cresce e aparece.

Paradigmas existem no mundo, e eu me arriscaria a dizer que eles definem nossos resultados. Afinal, se seguimos um paradigma – que também podemos chamar de crença –, se ele for positivo e construtivo, podemos ter maiores chances de atingir bons resultados. Porém, se o paradigma for negativo, limitante, e o usarmos como base para nossas ações, corremos o risco de não alcançar todos os resultados que poderíamos ou mesmo, algumas vezes, não chegar a lugar algum.

Quer um exemplo? Dou dois: se seguirmos o paradigma de que todo pensamento gera uma ação e toda ação gera um resultado, sabemos que, tendo pensamentos corretos, positivos e construtivos, chegaremos aos melhores resultados e teremos mais sucesso. Porém, se dermos ouvidos ao paradigma que diz que dinheiro não traz felicidade, nunca vamos ter dinheiro nesta vida ou, se o tivermos, nunca seremos felizes.

O que isso quer dizer, em resumo? Quer dizer que existem determinados paradigmas que devem ser quebrados, se quisermos crescer de verdade, ter sucesso e conquistar uma vida mais plena, rica e feliz.

E aqui chegamos ao ponto em que este livro foca, em sua essência. Vamos trabalhar juntos para conseguir fazer a quebra de um paradigma extremamente limitador: o paradigma de que ser um inútil é incompatível com o sucesso. Não, você não leu errado nem há nenhum engano de revisão neste parágrafo. Foi isso mesmo que você leu.

Repito: vamos trabalhar na quebra do paradigma de que *ser um inútil é incompatível com o sucesso.*

A grande maioria das pessoas acredita que é impossível ser inútil e ao mesmo tempo um milionário bem-sucedido. Elas entendem que ser inútil é apenas ser alguém que não serve para nada. Mas é preciso entender que ser um Inútil Competente e Relevante é algo muito positivo. E essa é a nossa grande quebra de paradigma.

Quando falamos que alguém é inútil, vem notadamente aquela ideia de que a pessoa não presta, não tem valor. Pois é exatamente aí que está o "porém" dessa história. Ser um inútil irrelevante e incompetente, o que também é ser alguém insignificante, é bem diferente de ser um Inútil Competente e Relevante. Para chegar a esse ponto, é preciso ter competência extrema.

E é aqui que entra a necessidade de quebrar uma crença limitante. Só que a sociedade é fraca quando pensamos em quebrar paradigmas. Imagine, por exemplo, que eu lhe dissesse que vou montar uma "Escola da Inutilidade", onde você vai aprender sobre como se tornar inútil, mas milionário. O que você pensaria disso?

É preciso entender que temos que quebrar determinados padrões, se quisermos continuar a progredir na vida. Sobre isso, tenho até uma frase que gosto bastante de usar: "Entenda que você precisa quebrar o padrão, para não quebrar o patrão". E, em grande parte das vezes, o seu patrão é você mesmo. Se não ousarmos ir além do que os paradigmas nos impõem, com certeza não iremos muito longe na nossa jornada da vida.

Quando as pessoas entenderem que ser um Inútil Competente e Relevante é tudo de que precisam na vida para mudar de patamar e deixar um legado, eu creio que as coisas irão mudar. Porém, para que isso aconteça, as vaidades, os egos, os medos e as inconsistências deverão ser sanados, ou pelo menos deixados de lado.

Ao ler este livro, estudar os temas que apresento e especialmente colocá-los em prática, você vai adicionar à sua bagagem uma coleção de conceitos, ferramentas e atitudes que vão ajudá-lo a se tornar um autêntico Inútil Competente e Relevante. E isso fará toda a diferença na sua vida, pois lhe abrirá portas que talvez você nem saiba que existam. E esses novos caminhos vão levá-lo a um sucesso consistente e duradouro. Arrisco dizer que você terá chances incríveis de se tornar um verdadeiro inútil milionário.

Dentro da visão de sucesso que conheço, aplico, tenho meus excelentes resultados e procuro ensinar a todos com quem tenho oportunidade de me relacionar, organizei neste livro alguns dos conceitos, pensamentos e práticas que considero fundamentais para construir uma vida de *inútil bem-sucedido*.

Aqui você vai encontrar a essência do que ensino para o meu time. Vai reparar também que insisto muito em determinados conceitos e práticas, porque considero importantes esses pontos e vou bater e rebater neles durante todo o livro, para que você possa interiorizá-los e torná-los parte de sua maneira de pensar e agir.

O livro apresenta evidências inquestionáveis de que você precisa, sim, estudar, aprender, crescer, evoluir em conhecimento e prática, além de ter as atitudes corretas para ser útil para a sociedade, para sua empresa ou mesmo para seu empreendimento. Mas vai também mostrar o quanto você precisa se tornar um inútil relevante, para realmente realizar o seu propósito de vida.

Você vai conhecer outra forma de avaliação da realidade e compreender como tudo pode se tornar positivo, mesmo quando as pessoas ainda não estão preparadas para enxergar dessa maneira.

Vamos trabalhar na quebra de crenças comuns que limitam o nosso crescimento e minimizam a nossa felicidade e a nossa realização pessoal e profissional, além de dificultar o nosso acesso a uma vida tranquila, com mais liberdade financeira.

Vou apresentar a você o profissional Inútil, Competente e Relevante e como ele se comporta na construção do seu destino de sucesso e realização. Vamos traçar um perfil com as características mais marcantes desse profissional que quebra todos os paradigmas limitantes e desponta como um autêntico vencedor.

Mostrarei o caminho que vai levar você a se tornar esse Inútil Competente e Relevante que vai fazer uma verdadeira revolução no seu modo de pensar e de agir, para conquistar um sucesso que talvez até hoje você ainda não tenha imaginado.

Você conhecerá algumas ferramentas e estratégias de grande utilidade e eficácia para aplicar enquanto estimula e constrói o seu perfil de inútil de sucesso e encontrará alguns materiais para refletir, estudar e incorporar à sua vida, em especial na área profissional, que irão ampliar sua visão de sucesso e de como chegar até ele.

Finalmente, vamos ter uma conversa mais de perto, e vou fornecer a você um combustível motivacional para abastecer seus motores e preparar a sua decolagem para patamares mais altos, em todos os setores de sua vida.

E o que tenho como conselho principal, se você realmente deseja ter sucesso na vida e ser um milionário, é: seja o maior inútil que puder ser, mas faça questão de ser um inútil relevante, competente e significante.

Lembre-se que a sua capacidade de quebrar barreiras e paradigmas, vencer crenças limitantes e buscar construir uma inutilidade proveitosa e desejável é o que levará você a se tornar alguém diferenciado, não só pela visão mais ampla e construtiva, mas principalmente pelas suas atitudes, que serão acima da média praticada pela maioria das pessoas.

Então, mergulhe fundo nesta leitura e aproveite cada oportunidade para se lançar nesta empreitada de construir o seu futuro com a segurança que somente um profissional de valor, que conquistou e conquista a cada dia o posto de Inútil Competente e Relevante, pode entender, praticar e realizar.

Aqueça seus motores e vá em frente. E lembre-se que a vida só tem mesmo sentido quando você se torna capaz de crescer, contribuindo sempre para que as pessoas ao seu redor também cresçam.

PARTE 1

A QUEBRA DA CRENÇA COMUM

Aquilo em que você crê é o que forma seus pensamentos e define o seu destino.

COMPETÊNCIA EXTREMA E INUTILIDADE PRÁTICA

De verdade, não me lembro quantas bobagens já fiz, nem quanto dinheiro perdi por causa disso, até que finalmente entendi a regra principal do jogo da competência extrema e da inutilidade prática. E essa regra é: se nós não entendermos como o jogo realmente funciona, vamos ter, no mínimo, dez erros para um acerto; para cada dez jogadas que fizermos, em geral vamos acertar apenas uma. Então, é lógico que conhecer com urgência como essa história funciona tem que ser nossa prioridade.

Neste momento, é bem provável que você esteja querendo me perguntar o que é "inutilidade prática". Pois é, parece coisa de louco, não é mesmo? Na verdade, é uma coisa bem simples, como você verá, porém nem sempre muito fácil de conquistar.

É importante entender que, para se tornar um Inútil Competente e Relevante, seus feitos precisam ser comprovados na prática; não adianta você falar ou informar sobre eles. Por isso criei o termo "inutilidade prática", para lembrá-lo de que suas conquistas têm que ser comprovadas no dia a dia, com resultados que mostrem do que você é mesmo capaz.

Você tem que praticar a ponto de se tornar o melhor em sua atividade, superar todos os seus limites e, então, ensinar outras pessoas a fazer o mesmo. A partir daí, você se transforma em um inútil naquela prática, pois seu time já não precisa de sua ajuda para continuar a conquistar tantos resultados quanto os que você já conquistou.

Ao falar sobre as coisas que você é capaz de fazer, estamos, sem dúvida alguma, nos referindo à competência. Quanto mais competência você apresenta, mais prática comprova, mais resultados obtém e mais inútil se torna. É por isso que sempre digo que é a sua competência extrema que vai levar você mais rapidamente até a inutilidade relevante.

Há muito tempo venho percebendo que, quanto mais eficazes nós somos na prática, e quanto mais competentes e fundamentados, mais inúteis nos tornamos, mais nos transformamos em Inúteis Competentes e Relevantes. Afinal, é com a competência extrema aplicada nas atividades do dia a dia que podemos disponibilizar nossa experiência e nossos resultados, de maneira replicável, por onde passarmos e com quem nos relacionarmos.

Já faz bastante tempo desde o dia em que decidi sempre provar na prática tudo o que afirmo. E isso se tornou regra dentro da minha empresa e é o que me dá uma credibilidade imensa diante de meu time, produzindo resultados estratosféricos. Apenas quero esclarecer aqui que não é só da prática que vive a nossa competência, mas é certo que sem a prática não existe efeito resultante dessa competência – nem positivo nem negativo. Ou seja, o resultado é zero.

Por isso, temos que ir à prática diariamente e obter resultados reais para apresentar às pessoas e atestar a nossa capacidade, provar quem somos, que sabemos o que estamos dizendo, e deixar totalmente claro que fazemos tudo o que afirmamos e por isso colhemos os frutos dessas nossas ações direcionadas e competentes.

Também tenho sido questionado sobre quantos resultados comprovados devemos ter para provar a competência extrema. Sobre isso, é óbvio que, quanto mais comprovação de resultados, maior será a nossa credibilidade e mais demonstraremos a nossa competência. Mas ainda há algo que, para a maioria das pessoas, é uma completa surpresa: a competência extrema não vem apenas dos nossos acertos, mas também das ações e dos efeitos colaterais que eles produzem. Ou seja, desenvolver e praticar a competência extrema é como uma bola de neve, que cresce quando estamos focados em praticá-la com seriedade e diariamente.

A falta de praticar o seu ofício é um dos dificultadores para que grande parte dos profissionais atinja a inutilidade prática. Quando falo de dificultador, refiro-me ao fato de que, para ser um inútil com "I" maiúsculo, é necessário viver no campo de batalha da prática diária. A inutilidade prática exige que se tenha a essência do campo ou, como gosto de dizer, é preciso viver a "pancadaria que o negócio exige". A pouca prática é o que afasta muitos profissionais de se tornarem inúteis na essência e na relevância.

Ninguém se torna um Inútil Competente e Relevante agindo levianamente, tal qual um batedor de carteiras, oferecendo ao público cursos milagrosos que prometem ensinar aos outros como enriquecer, porém sem comprovar sequer o que já realizou, e se o virarmos de cabeça para baixo, não cai um só tostão de seu bolso.

É a prática que gera valor, não a teoria por si só. No mercado existem muitos vendedores de teorias, incapazes de apresentar provas, levando os consumidores à descrença, pois estes acabam se cansando de promessas vazias, dos famosos "clique aqui e fique rico!".

Como os consumidores em geral já perderam muito com esses engodos, isso também impacta e dificulta o trabalho de profissionais que realmente vivenciam e vendem suas experiências, entregando na prática aquilo que prometem na teoria.

Infelizmente, no mundo profissional, em especial na área de vendas, teóricos temos "em baldes", mas profissionais com prática real temos em conta-gotas.

Outro alerta: não se atenha a profissionais que dizem que mais acertaram do que erraram, já que isso costuma ser uma mentira descabida. Se você escutar de alguém que ele mais acertou do que errou, é bem possível que esteja diante de um "batedor de carteiras", que mais fala do que faz.

O que acontece na verdade é que, de tanto errar, você aprende a acertar com mais frequência e, assim, dentro do seu círculo de negócios, passa a fazer dinheiro mais rapidamente. Mas nunca o seu volume de "sins" vai superar o volume de "nãos", nunca vai acontecer de a pessoa acertar muito mais do que errar.

Um dos efeitos colaterais da competência extrema são os erros extremos, o que significa que, quanto mais erros extremos você cometer, mais competência prática extrema estará adquirindo. Quanto mais força tiverem os seus erros, e quanto mais doloridos eles forem, maior será sua competência perante situações desfavoráveis. Isso lhe dará relevância positiva e aumentará a sua inutilidade.

Quanto mais erros, que não sejam passíveis de ressignificar no tempo, e mais equívocos, capazes de serem sanados ainda que não eliminados, mais você aprenderá a fazer dinheiro na sua jornada. Nos negócios não existe nenhum Midas que só acerta, que transforma tudo o que toca em ouro. Todo mundo que tem sucesso só acerta bastante hoje porque já errou muito ontem e aprendeu a lição.

 ALGUMAS DIRETRIZES DA INUTILIDADE COMPETENTE E RELEVANTE

1. Faça disto uma regra: sempre prove que você faz na prática tudo o que fala e ensina. Isso lhe dará muita credibilidade diante de seu time e produzirá resultados estratosféricos.
2. Viva no campo de batalha da prática diária. Para atingir a inutilidade prática, viva diariamente a "pancadaria que o seu negócio exige".
3. Pare de ter medo de errar. Quanto mais força tiverem os seus erros, e quanto mais doloridos eles forem, mais preparo lhe darão e maior será sua competência diante de situações desfavoráveis.

RIQUEZA E INUTILIDADE COMPETENTE ANDAM JUNTAS

Tudo gira em torno do fato de que ninguém faz nada sozinho, como dizia meu saudoso compadre Jota Carvalho, pai de meu grande irmão Bruno.

A riqueza não tem fonte em apenas um CPF, mas sim a partir de diversos CPFs relevantes e competentes. É o time competente e relevante que faz fortuna e que a cada validação de resultados dispara um impulso natural de querer conquistar ainda mais valor de mercado. Transmitir o que com certeza funciona para que seja replicado somente é possível se antes você fez, errou, mas se alinhou estrategicamente para colher os frutos.

Grandes *players*, aqueles que apresentam os maiores sucessos no mundo, não trabalham sozinhos e muito menos conquistam altos patamares apenas com seu esforço pessoal. Eles fazem questão de ter pessoas competentes e relevantes trabalhando ao seu lado. Tanto é que muitas vezes chegam até a trocar de "turma" porque seu time não está sendo consistente nem correspondendo aos seus objetivos e às suas metas ousadas.

O importante agora é entender que, para ter um time competente e relevante, você precisa se tornar um Inútil Competente e Relevante. Todos os grandes ricos, os milionários e os bilionários, precisaram se tornar inúteis para subir de patamar. Eles precisaram seguir um sistema natural, até a inutilidade plena, em cada projeto específico. Por essa razão é possível perceber que grandes *players* têm sucesso em qualquer atividade a que se dediquem, com várias verticais, seja na venda de cursos de inglês, educação ou tecnologia, seja no trabalho com um clube de futebol.

Outro ponto a se considerar é que a inutilidade competente e relevante só acontece quando você cria times de alto desempenho. Este é um ponto que apresento à parte, com mais detalhes, em outro capítulo deste livro, como você verá adiante.

Enfim, é muito difícil fazer sozinho riqueza e abundância econômica, porque ela tem que gerar liberdade. E essa liberdade vem com a formação de times também inúteis competentes e relevantes, que sustentam a sua largada para ir em busca de novas conquistas.

O que quero dizer aqui é que não estamos falando apenas de dinheiro. Estamos falando sobre liberdade. Então, como sempre comento, se fosse para trabalhar e ganhar uma banana, eu trabalharia pela banana, desde que isso me proporcionasse a liberdade de viver as coisas boas que a vida me oferece.

ALGUMAS DIRETRIZES DA INUTILIDADE COMPETENTE E RELEVANTE

1. Nunca abra mão de ter pessoas competentes e relevantes trabalhando ao seu lado.
2. Se você quer ter um time competente e relevante, antes seja você mesmo um Inútil Competente e Relevante.
3. Não trabalhe apenas pelo dinheiro. Trabalhe para conquistar a liberdade de viver as coisas boas que a vida oferece.

A PROSPERIDADE PROFISSIONAL FUTURA VEM DA INSIGNIFICÂNCIA NO PRESENTE

A sua prosperidade profissional futura vem da sua insignificância no presente. "Pô, Alberto! Agora você pegou pesado!" – imagino que seja algo assim que você pode estar pensando agora. Mas é isso mesmo. Portanto, "caia na real" do que estou dizendo e você vai entender e até concordar comigo.

Pense comigo: ser insignificante é o mesmo que ser descartável, desnecessário. E quem é descartável e desnecessário no time? Exatamente quem se tornou um Inútil Competente e Relevante. Quero dizer com isso que, se você chegou a esse patamar, significa que já preparou o seu time para seguir fazendo o que você fazia, tão bem como você fazia, então agora já pode decolar para novos desafios.

Por isso digo que a sua prosperidade no futuro está ligada à sua insignificância no presente. Ser insignificante no momento em que você já conquistou a excelência no trabalho com seu time não é algo ruim – pelo contrário, é algo muito positivo e necessário. Mas tome cuidado: isso é diferente de permanecer insignificante o tempo todo – nesse caso, a insignificância pode significar incompetência. Ser insignificante no momento certo não é problema, mas permanecer insignificante é, sim, algo muito ruim.

O que quero dizer aqui como sinal de alerta é que você precisa usar aqueles momentos em que se sente insignificante – mas ainda não se tornou um Inútil Competente e Relevante – para aprender com a experiência e ganhar força para sair dessa insignificância e subir para novos patamares de resultados.

Quanto mais você aprender que sua insignificância é fruto de seus resultados, mais vai perceber que precisa ir para cima dos problemas relevantes com muito mais vontade. Isso fará com que você, ao longo do tempo, se torne cada vez mais um Inútil Competente e Relevante. A insignificância consciente coloca você no meio do jogo, empurra você para a luta, estimula você a dar os próximos passos para chegar à inutilidade.

Naturalmente, você vai esbarrar em um jogo de vaidade quando falar que teve sucesso porque aprendeu a ser insignificante. O ego nos prega peças e muitas vezes atrapalha o nosso crescimento. Além do mais, esse é um paradigma que as pessoas não irão entender prontamente. Será preciso educá-las para que possam compreender esse fato.

Sentir-se insignificante precisa ser uma condição aliada ao seu desejo de sair da utilidade, para que se transforme em uma força a seu favor. Tem que ser um meio de entender que a sua utilidade já não é suficiente para chegar aonde você deseja, que é preciso seguir rumo à sua inutilidade, passando pela sua insignificância no presente, no lugar onde você está nesse exato momento.

Quando falo sobre isso, sempre chega alguém e me diz: "Mas, Alberto, isso que você está dizendo é uma coisa muito louca!". Pode até ser, mas a questão é que existe na insignificância uma arte que o levará a ser um Inútil Competente e Relevante. Pense: você se torna insignificante depois que preparou alguém para ser melhor que você; e esse é exatamente o caminho certo para o seu progresso maior.

Entenda que ser insignificante é diferente de ser inútil, porque ainda é um passo anterior ao estado de inutilidade. O segredo é se tornar insignificante para que você possa avançar sempre, e então perceberá que os vários passos de sua insignificância irão aprimorá-lo, ou seja, transformá-lo para melhor. Você vai prosperar e ressignificar sua insignificância a cada momento, para então se tornar um inútil pleno, competente e relevante. A insignificância, portanto, é o degrau mais próximo da inutilidade competente e relevante.

 ALGUMAS DIRETRIZES DA INUTILIDADE COMPETENTE E RELEVANTE

1. Faça da insignificância uma oportunidade de aprender e ganhar forças para alcançar novos patamares de resultados.
2. Seja insignificante no momento certo, mas jamais permaneça na insignificância por muito tempo.
3. Transforme a insignificância em uma força a seu favor. Faça dela uma condição aliada ao seu desejo de ir muito além da utilidade.

AMARRAS DE BOLETINS E RÓTULOS FORMAIS

Insisto sempre para que as pessoas não se prendam às amarras de boletins escolares, diplomas e rótulos formais. A pessoa pode ter tudo isso em mãos, de modo positivo, e não ter a capacidade de se tornar um inútil para crescer e alcançar um patamar de sucesso.

Gosto muito de falar que não são os diplomas que você tem, mas sim o que faz com o que aprendeu que o levará a se tornar um inútil capacitado para mudar de patamar.

A sociedade tende a ser pragmática ao afirmar que sem estudo você não é nada. Eu concordo com isso, mas faço questão de ressaltar que é preciso ser estudioso. Não basta ser um estudante, porque isso não quer dizer necessariamente que você aproveitará o que lhe ensinam na escola.

Faça uma lista das pessoas que você conhece que não possuem diplomas formais de grandes universidades nem rótulos de doutor e coisa e tal, mas mesmo assim possuem a vida que você gostaria de ter.

Sabe por que isso acontece? Porque as pessoas, caso suas notas no boletim escolar não sejam todas azuis, ou se não tiverem um diploma, são rotuladas de "imbecis". Na verdade, essas amarras limitam as pessoas, que passam a agir como se fossem "aquela pulga presa embaixo de um copo de boca para baixo", que, de tanto tentar sair e não conseguir, passa a limitar o alcance de seus pulos. Pessoas assim, mesmo quando "o copo é retirado", continuam pulando baixo, fazendo apenas o mínimo para sobreviver.

A sociedade coloca rótulos nas pessoas, mas não está preocupada com o que elas vão fazer depois de rotuladas – isso é uma hipocrisia. Muitas vezes, exige-se que as pessoas tenham um diploma que não serve para nada, e há aquelas que chegam a cursar três faculdades diferentes, mas continuam dependendo da família para sobreviver.

É preciso compreender que você não vale mais só porque tem um papel dizendo que é formado em alguma coisa. Você vale pelo que faz com o que aprendeu. E se você tem a capacidade de ser alguém que sempre tira notas azuis, então use isso de forma mais inteligente, criando empregos, gerando mais renda, promovendo seu crescimento e o crescimento daqueles que estão ao seu redor, daqueles que acreditam em você.

Sou adepto do que dá resultado, não me interessa o que pensem de mim. Não importa o que eu tenho ou não de estudos e cursos. O que importa é o que eu faço com o que aprendi. Eu me considero um tanto autodidata, mas sem QI elevado. Apenas me vejo como um burrinho entusiasmado que não desiste fácil, que encontra sempre uma nova forma de fazer dar certo quando tudo está dando errado. Agora, veja um exemplo prático do que estou dizendo: na escola eu era ruim em matemática, mas entendi que não preciso ser um gênio para fazer conta de "mais, menos, multiplicar e dividir". E foi isso que me fez ter base para obter resultados além da média em minhas atividades.

A sociedade quer você dependente, para fazê-lo de fantoche. Mas você não tem que aceitar isso. Por exemplo, não é porque eu fui reprovado três vezes, fui "convidado a sair" de duas escolas públicas e passei de ano sempre esbarrando nas notas mínimas, ou porque fiz dois supletivos, que isso vai me impedir de ser bem-sucedido.

Não me entenda mal. Eu acredito que educação é essencial, mas tudo depende de como você utiliza a educação que teve. Também não estou dizendo que você não deve ter uma educação formal, com diploma e tudo. Estou dizendo que você precisa ter algo formal que vá realmente fazer sentido na sua vida. Algo que vai levar você a se tornar mais rapidamente um Inútil Competente e Relevante.

Procure em seus professores as mesmas características que você quer ter ou ser na vida. Encontre o melhor de cada um deles e aproveite isso para crescer como pessoa. Do contrário você corre o risco de ter de trabalhar a vida toda imaginando dias de glória, mas vivendo ferrado o tempo todo.

Entenda que a escola da vida, por si só, é um excelente formato de aprendizado, que acontece entre erros e acertos. Quando você tem um diploma, podemos dizer que já sai na frente, já começa com alguma vantagem. Mas entenda que informação sem atividade não vale nada na sua trajetória. E não se esqueça de acrescentar a essa receita uma boa dose de resiliência. Exercer atividades sem resiliência pode fazer com que você fique a vida toda reclamando do que não tem, em vez de se preocupar com o que quer ter e com o que fazer para conseguir isso.

 ALGUMAS DIRETRIZES DA INUTILIDADE COMPETENTE E RELEVANTE

1. Compreenda que não é o que você tem de diplomas, mas sim o que faz com o que aprendeu que o levará a se tornar um inútil capacitado para mudar de patamar.
2. Fique atento: você vale pelo que faz com o que aprendeu, e não só por ter um papel dizendo que é formado em alguma coisa.
3. Acredite: educação é essencial, mas os seus resultados dependem de como você utiliza a educação que teve. Informação sem atividade prática não vale nada na sua trajetória.

O QUE ME IMPORTA O QUE OS OUTROS DIZEM?

Talvez você não saiba, mas uma das coisas mais importantes na vida de um profissional é ter suas próprias convicções. Eu carrego comigo cinco pontos aos quais atribuo grande parte dos meus resultados:

- Não trocar resultados por desculpas;
- Fazer com que os outros se deem bem;
- Resolver problemas antecipadamente;
- Obter valor agregado;
- Ser surdo para o negativismo e para os profetas do fracasso.

Ter essas convicções é muito importante em um mundo onde muita gente pensa que sabe tudo e vive dando palpites na nossa vida. Algumas pessoas não fazem por mal, tentam até ajudar, mas não têm a experiência necessária para acrescentar algo de valor aos nossos projetos. Outras usam de pura maldade, tentando nos destruir, porque o nosso sucesso as incomoda. E outras ainda são apenas negativas, sem a mínima vivência naquele assunto, mas se atrevem a semear dúvidas e "previsões" sinistras, como autênticos profetas do vazio.

Quando me lanço em um projeto novo e ousado, muitas vezes me deparo com pessoas dizendo: "Alberto, isso é loucura!", "Você vai perder dinheiro!", "Isso não vai funcionar, é muito difícil, ninguém ainda fez dar certo", e por aí vai.

Para se tornar um Inútil Competente e Relevante, você não pode se importar com o que os outros dizem, especialmente quem não tem nada a ver com sua vida, e até mesmo aquelas pessoas do seu círculo mais próximo, como seu cônjuge ou seu filho, que nem sempre têm boas coisas a dizer ou comentários que sejam apropriados. Tudo depende do que você quer saber e de procurar analisar se tem fundamento o que vai escutar. É claro que existem algumas exceções, de pessoas que realmente têm a experiência necessária, podem e querem ajudá-lo. Nesses casos, convém escutá-las com atenção e aprender o que considerar útil para ajudar você a chegar aos seus objetivos.

Tenho a convicção de que não adianta alguém querer me ensinar algo se ainda não obteve bons resultados com aquilo, ou tentar dar uma opinião sobre algo de que não tem prova ou testemunho.

A pior coisa é escutar alguém dizer "eu acho"... Isso me dá nos nervos. Acha coisa nenhuma! Acha ou tem certeza? Se tem certeza, é porque já fez, então sua opinião tem fundamento. Mas se a pessoa acha, ela não tem certeza; então, não pode me ajudar em nada, não pode contribuir para que avancemos para outro patamar de sucesso.

É muito importante você entender que não adianta e não vale a pena escutar nada que não tenha base ou prova. É perda de tempo e de energia. O que mais vejo por aí são propostas vazias, como "trabalhe em casa e fique rico", "aprenda a fórmula mágica que fará você voar sem ser avião ou passarinho", "faça como eu fiz e fique rico". Mas tudo isso são fantasias sem fundamentos. Tenha santa paciência! Isso me deixa muito nervoso.

A verdade é que ninguém vai pagar seus boletos, ninguém vai comprar comida para sua casa e ninguém vai ser preso em seu lugar se você fizer uma bobagem na vida. Ninguém consegue ser você ou viver a sua história. Ou será que você vai me dizer que já lhe deram um mapa do lugar onde tem ouro, sem pedir nada em troca?

Pare de viajar na maionese. É hora de entender que ser egoísta, quando está indo atrás de seus sonhos, é a coisa mais normal do mundo. Cuide do seu lado com garra e sigilo. Nunca vi ninguém compartilhar dicas valorosas gratuitamente, sem receber algo por isso. É a lei da troca. Tudo gira em torno disso.

Muitos vão zombar quando você disser que ser um inútil é a melhor opção. Vão dizer que essa é a coisa mais imbecil que já ouviram. Mas o que essas pessoas não entendem é que elas trabalham para algum "imbecil", ou são dirigidas por algum "imbecil inútil, competente e relevante" que foi muito mais longe construindo seu sucesso, coisa que elas não foram, ou então não continuariam trabalhando como "úteis imbecis"... Sei que é forte dizer isso, mas querem que eu minta para que se sintam mais confortáveis?

Enfim, a base de tudo o que estou dizendo aqui é não se importar com o que os outros pensam e dizem, mas sempre escutar, para ver se tem algo que se pode utilizar. O título deste tópico diz: "O que me importa o que os outros dizem?". Mas não diz "não escute ninguém". Captou a mensagem?

Escutar é diferente de ouvir na essência. Mantenha o ouvido de mercador, mas fique atento para perceber algo que seja útil no que dizem. Talvez uma pequena vírgula possa clarear algum ponto em que você ainda tenha dúvidas.

Agora, o que você não pode fazer de jeito nenhum é receber, aceitar e acatar a opinião de um especialista sem especialidade, a quem chamo de batedor de carteira, vendedor de curso enganoso ou ludibriador da boa-fé.

Fique alerta: não escute ninguém que seja menos do que aquilo que você quer ser.

 ALGUMAS DIRETRIZES DA INUTILIDADE COMPETENTE E RELEVANTE

1. Nunca troque resultados por desculpas.
2. Seja surdo para o negativismo e para os profetas do fracasso.
3. Não escute ninguém que seja menos que aquilo que você quer ser.

PARTE 2

CONHEÇA O INÚTIL COMPETENTE E RELEVANTE

Se o sucesso é o seu objetivo,
tornar-se um profissional Inútil, Competente
e Relevante é parte do seu caminho.

O CICLO DO PROCESSO DE INUTILIDADE

Sempre falo que a ideia da inutilidade primeiro precisa passar pela sua barreira mental, para você entender e aceitar que ela é positiva. Da mesma forma, digo também, com toda a certeza, que você precisará chegar ao ponto de se sentir um Inútil Competente e Relevante, pois só assim as coisas vão acontecer de modo a alavancar seus resultados.

Avançando um pouco mais nesse tema, neste capítulo vou fazer algumas considerações para que você compreenda as diferentes fases do ciclo do processo de inutilidade. Acredito que assim você irá perceber o verdadeiro poder dos inúteis.

O ciclo do processo de inutilidade tem basicamente três fases distintas, como veremos a seguir.

1. O neófito motivado

A primeira parte do ciclo do processo de inutilidade é a do neófito, que não sabe muito, mas está aprendendo, se desenvolvendo, buscando fazer pelo menos o simples, que não envolve grandes problemas nem riscos além do esperado.

Essa é a parte do ciclo em que acontece o puro nascimento da pessoa para uma determinada atividade ou profissão, que será aprendida e desenvolvida aos poucos. Tudo é novo e alegria, até começarem a surgir as barreiras naturais das dificuldades.

Nessa fase é que as dificuldades sobre o tema e seus processos mais refinados começam a ferver o sangue do profissional, servindo de estímulo para ele seguir em frente ou confrontando-o em seus planos de vida, muitas vezes levando-o até a largar tudo e buscar outra coisa para fazer.

Podemos dizer que é algo parecido com aquela história do sujeito passar no vestibular, começar o curso e, de repente, largar a faculdade porque viu que não bateu com o que achou que seria sua profissão no futuro. A pessoa então larga o curso e vai procurar outra área que seja do seu interesse.

2. O útil com resultado

Nessa fase a pessoa começa a obter resultados positivos, a ser vista como alguém que entrega o que deve ser feito. É um período mais estimulante, porém no qual também se diferenciam os homens dos meninos.

Ser útil não pode ser visto como a melhor opção em um ambiente de trabalho, em um projeto ou em determinada área de atuação. Como empregado, representante ou mesmo proprietário do seu negócio, a utilidade é o mínimo básico que você precisa ter para trabalhar em alguma empresa e ser pago por isso.

É preciso entender que ser útil é a mínima condição necessária para permanecer vivo no mercado de trabalho. E isso não é sinônimo de diferencial competitivo em nenhuma área, apenas a base dos processos competitivos.

E sua utilidade poderá, em determinado momento, deixar de ser relevante. Além disso, pode ficar comprometida a qualquer momento em que surgir alguém mais ágil, mais barato, mais intenso, mais competitivo e mais habilidoso do que você.

Mesmo quando você se torna útil, permanece descartável, e isso tem que ficar bem claro. Utilidade não é sinal de garantia de coisa alguma. Mas pode ser um trampolim para o seu próximo passo de evolução profissional, que é a utilidade com contribuição. E, finalmente, o útil que entrega resultado é aquele que já deu mais um passo para se classificar dentro da inutilidade competente e relevante.

Por tudo isso, é preciso parar de "viajar na maionese", se achando a "última bolacha do pacote", e começar a pensar que tem muito chão pela frente até você se tornar um Inútil Competente e Relevante.

É nessa fase da sua carreira profissional que você vai precisar entregar e contribuir muito para que outras pessoas consigam chegar aonde desejam e para que sejam até melhores do que você naquilo que fazem. É claro que a vaidade vai querer tomar conta, a dúvida pode surgir mais intensa e o medo de perder o seu lugar estará presente, mas você precisa entender que esse é um passo que deve ser dado; não tem como fugir disso se você quer se tornar um milionário Inútil, Competente e Relevante.

3. O útil com resultado, contribuição e vaidade controlada

Aqui é onde o bicho pega de verdade, é o ápice de seus desejos, é quando acontecem as grandes mudanças de patamar. Você passou por barreiras como fazer o que tinha que ser feito, ajudar os outros a fazerem melhor do que você, contribuir sem medo da sombra de ser superado e descartado, e ainda controlar toda a vaidade prejudicial que poderia tentar afastá-lo dos seus objetivos.

Nesse momento, é preciso alinhar expectativas, estímulos e perspectivas e compreender que esse passo é o mais importante para que tudo o que foi feito anteriormente sirva de fundamento para os seus próximos avanços, para as suas próximas conquistas.

Quando falamos em ser útil com resultado, contribuição e vaidade controlada, estamos nos referindo a uma condição em que você já está preparado para subir a régua em sua carreira ou profissão. É nessa etapa que você está diante de uma fonte inesgotável de oportunidades que começam a se abrir naturalmente, como resultado de todo o empenho que o trouxe até aqui.

Entretanto, atente-se para o fato de que, quando você entregar ao seu time o que sabe, compartilhar a descoberta do caminho com os seus colaboradores, ajudá-los a replicar seus ensinamentos positivos e a evitar seus erros – sim, os seus erros também devem estar presentes para que outras pessoas aprendam com eles e sofram menos do que você sofreu –, estará abrindo um horizonte de oportunidades não só para si mesmo, mas também para todos os que participam da sua jornada de conquistas.

Quero reforçar aqui que é muito importante ficar atento para que as pessoas repliquem o que você apresenta de positivo, mas também é vital que você as esclareça sobre os riscos negativos de uma ação mal projetada e não estruturada. Todo empreendedor tem pelo menos um *case* desses para citar, explicar e assim ajudar seu time a ampliar a visão estratégica. Dessa forma, ele terá novos *players* mais preparados trabalhando com ele em outros grandes projetos que o levarão – e também muitos de seus colaboradores – à riqueza, a se tornar milionário.

Então, quero convidá-lo a pensar comigo sobre estas questões:

- Você faz muito bem o que tem de fazer?
- Você entrega para seu time tudo o que sabe?
- Você sabe quais são os gargalos que geram prejuízo para sua empresa e que precisam ser corrigidos ou evitados?
- Você apresenta para o seu time os "segredos" do negócio, que você aprendeu na prática?
- Você tem pessoas bem treinadas e preparadas que podem crescer e ocupar o seu lugar?
- Você tem espaço para crescer, seja dentro ou fora da sua empresa ou do seu negócio, que seja maior e melhor do que aquele que você já conquistou?
- Você é visto como alguém que contribui para o seu time com fatores relevantes para o crescimento de todos?
- Você é hábil em gerar novas estratégias de crescimento para todos?

Quando coloca alguém melhor em seu lugar, ou pelo menos que seja capaz de fazer o que você faz, sem deixar que a sua vaidade grite ou esperneie, sem se importar em ser sempre a bolacha da vez, suas oportunidades se expandem e você passa a brilhar cada vez mais. Entenda que não existe a possibilidade de se tornar milionário sem passar pelas barreiras da vaidade e sem fazer da contribuição e da réplica dos seus conhecimentos os seus focos principais.

Bem-vindo ao universo do Inútil Competente e Relevante

São muitas as vantagens de pertencer ao universo do Inútil Competente e Relevante. Nele você tem a liberdade de crescer sem limites, desde que se mantenha atuando como um verdadeiro Inútil Competente e Relevante, sem se desviar de seus princípios.

Por exemplo, se você é colaborador dentro de uma empresa, apenas o fato de se dispor a preparar outros profissionais para serem tão bons quanto você, ou até melhores, já o coloca em um patamar de destaque entre os demais colaboradores. Com toda a certeza, seu líder imediato vai perceber esse seu potencial e reconhecer o seu empenho em treinar pessoas para assumir o seu lugar. Automaticamente, ele irá avaliar uma possível mudança de patamar para você – afinal, o mais difícil nas organizações e nos negócios é encontrar pessoas que contribuam para o crescimento de outras, pois existe sempre o medo da perda do seu espaço. Mesmo que isso seja considerado uma bobagem pelos bons profissionais, não deixa de ser uma verdade para quem não é assim tão dedicado à sua função nem tem tanta capacidade como tenta transparecer.

Sem dúvida, é bem difícil pensar que perder o seu "posto" seja algo bom, mas devemos considerar que estabilidade não existe. Eu acredito 100% nisso e digo mais: pior do que saber que estabilidade não existe é a possibilidade de alguém perder seu cargo ou sua posição de trabalho por incompetência, ou porque surgiu alguém mais competente do que ele. A única maneira realmente compensadora e gratificante de "perder" a sua posição na empresa é efetivamente quando a cede para alguém que você treinou muito bem, ao mesmo tempo que você está assumindo uma posição ainda maior.

Quando isso ocorrer, você terá completado o ciclo e se tornado um Inútil Competente e Relevante. O mais interessante é que no próximo projeto irá ocorrer da mesma forma, todo o processo se repetirá, mas você estará cada vez mais experiente na arte de ser um inútil – o que o colocará em negócios de maiores proporções, com maiores ganhos, com novas visões e estratégias inovadoras a desenvolver e aprimorar.

Como ressalva de tudo o que foi mencionado até aqui, quero dizer que no mundo dos negócios não adianta você ser o melhor sozinho, mas na selva das gazelas. Você tem que ser o melhor entre os leões, e isso só vai acontecer quando contribuir para que as pessoas do seu time também se tornem melhores, mais hábeis, mais estratégicas, mais intensas e dedicadas aos objetivos comuns – os seus e os do time como um todo.

Nesse momento, só me restará dar-lhe os parabéns, por ter passado todas essas barreiras e ter se tornado um Inútil Competente e Relevante. Com certeza sua conta bancária já estará mais recheada, e você estará vivendo com muito mais liberdade. E as pessoas com as quais colaborou terão em você não apenas um mentor, mas alguém que prima pela inutilidade inteligente competente e relevante.

Esse ciclo será eterno e existirá em cada degrau que você subir. Cada patamar exige um novo eu, um novo você e um novo motivo para efetuar a contribuição para outras pessoas que buscam algo mais, que desejam muito deixar de ser apenas mais uma nas estatísticas da sociedade enjaulada em que a maioria vive.

A inutilidade inteligente, competente e relevante não é um feito exclusivo de ninguém. Todos podem exercê-la. Ela é abundante e está à espera de pessoas muito melhores, assim como eu e você. Portanto, vamos juntos para cima dessa conquista.

ALGUMAS DIRETRIZES DA INUTILIDADE COMPETENTE E RELEVANTE

1. Utilidade não é sinal de garantia de coisa alguma. Portanto, faça dela um trampolim para o seu próximo passo de evolução profissional.
2. Torne-se alguém útil com resultados, contribuição e vaidade controlada. Assim você já estará preparado para subir a régua em sua carreira ou profissão.
3. No mundo dos negócios, não adianta você ser o melhor sozinho, mas na selva das gazelas. Faça questão de se tornar o melhor entre os leões.

A MATRIZ DA INUTILIDADE PROFISSIONAL

Observe com atenção o diagrama a seguir, para compreender quais são os tipos de profissionais que encontramos no mercado e quais são as diferenças entre eles.

O PROFISSIONAL INÚTIL

O **profissional inútil** tem como característica ser **incompetente** e **irrelevante**.

Não contribui em coisa alguma e se torna um peso para os demais colegas e para a empresa. Suas ações não agregam valor ao time. Além de não fazer o que é preciso, coloca os colegas contra a empresa, gerando um clima de hostilidade e desentendimento no ambiente de trabalho. O profissional inútil é um fracassado completo. Logo, é **automaticamente descartado** do contexto do time de trabalho e da própria empresa.

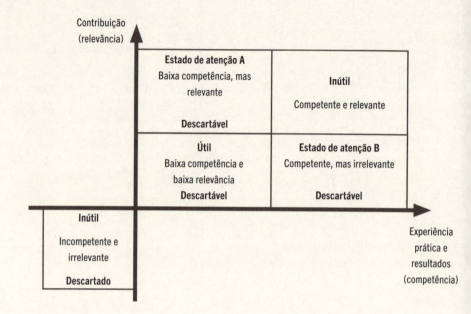

O PROFISSIONAL ÚTIL

O profissional que se posiciona como um **eterno útil** também se torna descartável. Com o tempo, seu processo de trabalho fica no automático, e ele faz somente o que deve ser feito, sem buscar avanços mais intensos, mais precisos, mais econômicos, mais estratégicos em suas ações e em seu desempenho. Como consequência, seus resultados não evoluem.

Desse modo, o profissional que se preocupa apenas em ser útil poderá ser substituído por outros profissionais úteis que estejam com mais ambição e desejo de crescer. Essa substituição é parte de um processo natural do mercado, que exige que um profissional vá sempre em busca da inutilidade competente e relevante; caso contrário, com o tempo, ficará fora do jogo.

Características do profissional útil:

- Sabe fazer o que é preciso;
- Possui algum resultado, mas nada excepcional;
- Entrega somente o necessário;

☞ Tem medo de perder, por isso hesita muito;
☞ Pratica o "Ninguém me viu": depois de fazer o que lhe cabe, sai de cena e não se interessa em compartilhar nem em contribuir para o crescimento dos demais.

Com o passar do tempo, o **profissional útil** se torna **descartável**, pois o fato de não fazer algo para melhorar, de ficar estagnado, é gerador de perdas, de improdutividade, de resultados medíocres. De certa forma, podemos dizer que o **eterno útil** de hoje poderá ser o **inútil incompetente e irrelevante** de amanhã.

O PROFISSIONAL NO ESTADO DE ATENÇÃO A

O profissional que se encaixa no quadrante do **estado de atenção A** possui um alto grau de contribuição para todos, porém tem pouca experiência prática e baixos resultados. Isso o coloca em uma situação de risco no time de trabalho e dentro da empresa, especialmente quando ele não se dedica a aprender e evoluir em seus conhecimentos e na prática de suas atribuições. Sem uma dedicação à melhora de seu desempenho profissional, seus resultados também não irão melhorar com o tempo.

Características do profissional no estado de atenção A:

☞ Muito solícito, mas falta prova de sua capacidade;
☞ Tem dificuldade de dizer não e por isso vive se envolvendo com problemas dos outros;
☞ Perde tempo em suas atribuições, não é direto e objetivo;
☞ Faz da sua vida uma "ONG": vive para contribuir, mas esquece que precisa ter retorno em suas atividades profissionais;
☞ Adora "servir", mas não participa do jantar; ou seja, contribui para tudo, mas ele mesmo não faz nada.

Com o passar do tempo, o profissional no **estado de atenção A** também se torna **descartável**, pois o fato de não fazer algo para ampliar seus conhecimentos e sua experiência prática acaba por comprometer ainda mais seus resultados e dá oportunidade para que outros profissionais o superem.

O PROFISSIONAL NO ESTADO DE ATENÇÃO B

O profissional que se encaixa no quadrante do **estado de atenção B** possui um bom grau de experiência e costuma obter resultados positivos, mas não tem uma postura interessante de contribuição e compartilhamento, e muitas vezes não divide com seu time seus conhecimentos nem contribui para que todos cresçam e evoluam em seus resultados. Com uma postura egoísta, esse profissional se mantém à parte do time, o que não colabora para que os resultados de todos sejam maximizados.

Características do profissional no estado de atenção B:

- Foca em fazer e esquece de contribuir;
- Vive no "modo de sombra", isto é, está sempre com medo de que possa ser superado por outros profissionais;
- Prefere apenas fazer, sem olhar para todos na maquete. Somente se preocupa em olhar os próprios pés e, dessa maneira, perde oportunidades relevantes que passam à sua frente;
- Se não for ele, acha que nada acontece. Considera-se o Salvador da Pátria.

Com o passar do tempo, o profissional no **estado de atenção B** também se torna **descartável**, pois falha no trabalho em equipe e com isso não contribui para que a empresa tenha um melhor retorno em seus projetos. Da mesma forma, esse profissional pouco ou nada contribui para que seus colegas também possam progredir profissionalmente, o que o torna uma pessoa pouco confiável dentro da organização.

O PROFISSIONAL INÚTIL, COMPETENTE E RELEVANTE

Essa é, sem dúvida, a melhor de todas as possibilidades de postura para um profissional que almeja não só o próprio sucesso profissional, mas também o sucesso de todos de seu time e da empresa em que trabalha.

O profissional que se encaixa no quadrante do **Inútil Competente e Relevante** possui um excelente grau de experiência e conhecimentos teóricos e práticos, porém sempre está em busca de novos conhecimentos e novas experiências, o que o leva a ter resultados excepcionais.

Somando-se a isso, ele ainda apresenta um alto grau de contribuição para o time e a empresa, o que permite que ele prepare cada um de seus colegas para assumir cargos maiores, inclusive sua própria posição. Preparando seu sucessor, o profissional Inútil, Competente e Relevante cria as condições necessárias para que ele próprio se lance a voos mais altos, em busca de novas conquistas.

O profissional Inútil, Competente e Relevante sabe que os melhores resultados acontecem quando o indivíduo se propõe a fazer, realizar, comprovar, multiplicar conhecimentos, tornar-se inútil em um ambiente pela competência e relevância, gerar crescimento a outros, sem medo de ser ultrapassado, e subir de patamar com a coragem de enfrentar o que vem pela frente. Assim ele contribui para que o ciclo de sucesso aumente e se propague para todos os envolvidos.

Características do profissional Inútil, Competente e Relevante:

- Faz a prática e apresenta resultados;
- Contribui sem receios;
- Obtém resultados excelentes; ou seja, a prova de sua competência existe;

- Sabe dizer não e com isso não assume problemas que não lhe dizem respeito[*];
- Sabe que o dinheiro é apenas o veículo para a realização de seus objetivos;
- Apesar de estar sempre contente, é um eterno insatisfeito; ou seja, está sempre buscando algo diferente. E isso o move na direção da evolução e de novas conquistas;
- A vaidade não o domina;
- É um eterno aprendiz;
- Não negocia seus valores;
- Controla sua vida e sua liberdade;
- Percebe seus limites;
- Sabe que as pessoas são as chaves, isto é, tem consciência de que ninguém faz sozinho algo grandioso e de valor.

O profissional Inútil, Competente e Relevante jamais se torna descartável, pois sempre está avançando rumo a novos conhecimentos e novos desafios. Ele sabe que o mais importante é se tornar inútil onde está, para poder criar as condições de voar mais alto.

A inutilidade competente e relevante aparece quando o profissional chega ao ápice de sua utilidade em determinado ambiente e percebe que é hora de multiplicar seus conhecimentos, dividindo-os com outras pessoas, para que assim possa contribuir mais e melhor em outras frentes, encarando novos desafios e criando ainda mais relevância.

---

[*] Você pode aprender mais sobre esse tema no meu livro *Gooo Up – aprenda o método infalível de como resolver problemas, conquistar qualquer objetivo e crescer acima de todas as expectativas*, disponível em: https://www.alberto-vendas.com/livros.

ALGUMAS DIRETRIZES DA INUTILIDADE COMPETENTE E RELEVANTE

1. O profissional inútil tem como características ser incompetente e irrelevante. Ele não contribui em coisa alguma e se torna um peso para os demais colegas e a empresa.
2. O profissional que se posiciona como um eterno útil também se torna descartável. Com o tempo, seu processo de trabalho fica automático e repetitivo. Como consequência, seus resultados não evoluem.
3. Ser um profissional Inútil, Competente e Relevante é, sem dúvida alguma, a melhor de todas as possibilidades de postura para alguém que almeja não só o próprio sucesso profissional, mas também o sucesso de todos de seu time e da empresa em que trabalha.

A DINÂMICA DO PROFISSIONAL NA MATRIZ DE INUTILIDADE

Vamos aprofundar um pouco mais os nossos conhecimentos sobre esses diversos tipos de profissionais, para que fique bem claro, a partir daqui, que o que efetivamente devemos buscar é cada vez mais nos tornarmos profissionais Inúteis, Competentes e Relevantes. Reveja o nosso gráfico e acompanhe a análise.

Todo profissional que almeja o sucesso precisa compreender que a vitória verdadeira só virá quando ele tiver como objetivo principal tornar-se um Inútil Competente e Relevante. A dinâmica de movimentação de um profissional em busca do sucesso precisa necessariamente ter esse enfoque. Analise a ilustração da Matriz de Inutilidade Profissional e acompanhe o raciocínio a seguir.

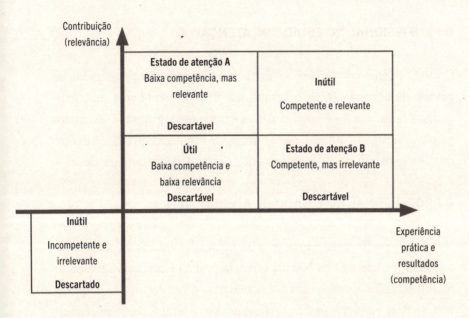

O PROFISSIONAL INÚTIL, INCOMPETENTE E IRRELEVANTE

No caso mais extremo de desperdício profissional, temos a pessoa inútil, incompetente e irrelevante. Se o profissional se mostrar como alguém nessa categoria, já estará automaticamente descartado, já é carta fora do baralho. O jogo estará perdido, e ele vai precisar rever toda a sua vida profissional e dar uma direção nova para seus comportamentos e atitudes se quiser um dia ter sucesso na vida, seja em que área for.

O PROFISSIONAL ÚTIL

Já o profissional classificado como útil corre o risco de se acomodar e se tornar um **eterno útil**. Dessa forma, nunca chegará ao sucesso verdadeiro. Caso não tome uma atitude que fortaleça sua postura profissional e que represente desafios para que saia do comodismo, ele também corre o risco de ser descartado, porque outros profissionais tomarão seu lugar e o superarão.

O PROFISSIONAL NO ESTADO DE ATENÇÃO A

Quando falamos de um profissional classificado como pertencente ao **estado de atenção A**, percebemos que ele é relevante pela contribuição que faz ao time e à empresa, mas é fraco em apresentar resultados palpáveis e significativos. Com o tempo, ele também enfraquece dentro do time e, se não reagir positivamente, acabará sendo descartado.

O PROFISSIONAL NO ESTADO DE ATENÇÃO B

No caso do profissional que se encaixa no quadro **estado de atenção B**, percebemos que ele tem boa experiência prática e costuma apresentar bons resultados, porém contribui pouco para o fortalecimento da estrutura do time e da empresa, de modo que, com o tempo, perde relevância e acaba sendo ultrapassado por profissionais mais dinâmicos e mais dedicados ao trabalho dentro do time.

O PROFISSIONAL INÚTIL, COMPETENTE E RELEVANTE

O profissional Inútil, Competente e Relevante é aquele que reúne todas as condições necessárias para construir um sucesso cada vez maior e mais consistente.

Basicamente, ele tem experiência prática e competência suficientes para apresentar excelentes resultados e manter seus números sempre entre os maiores patamares da empresa.

Ao mesmo tempo, esse profissional apresenta muita relevância entre seus pares e diante da organização para que trabalha, porque ele nunca se dá por satisfeito e sempre busca novos desafios para elevar seus resultados.

Nesse processo, a estratégia principal que ele usa é estimular as pessoas de seu time a crescerem, mas sempre com multiplicação da prática, do como fazer, de que forma e que experiências devem ser replicadas.

Ele só se satisfaz quando tem em seu time pessoas capazes de fazer tanto quanto e até mais do que ele mesmo. Nesse momento, ele se torna "um inútil", pois seu time é capaz de funcionar sem sua presença. E essa é a oportunidade que ele tem para se lançar a novos projetos, novos horizontes e novas conquistas, deixando atrás de si um caminho bem estruturado e seguro, formado por um time capaz e batalhador como ele.

É o típico exemplo de um profissional de vendas que bate todas as metas, mas sabe que está na hora de mudar de patamar, subir outro degrau, tornar-se um consultor, ou assumir uma possível liderança, ou entrar em outro mercado, ou cuidar do lançamento de um produto de que seja um desafio para a empresa.

Para realizar esse salto, ele previamente já vem ensinando e preparando profissionais para se tornarem tão eficientes quanto ele. Assim, chega o momento em que ele se torna "inútil" em sua atual função, porque já preparou alguém para assumir esse cargo e continuar garantindo os resultados do time e da empresa. Essa é a verdadeira natureza da inutilidade competente e relevante, que impulsiona o profissional e todos os seus colaboradores para novos patamares e novas conquistas.

 ALGUMAS DIRETRIZES DA INUTILIDADE COMPETENTE E RELEVANTE

1. Todo profissional que almeja o sucesso precisa compreender que a vitória verdadeira só virá quando ele tiver como objetivo principal tornar-se um Inútil Competente e Relevante.
2. O profissional Inútil, Competente e Relevante é aquele que reúne todas as condições necessárias para construir um sucesso cada vez maior e mais consistente.
3. No processo de se tornar um profissional Inútil, Competente e Relevante, a estratégia principal é estimular as pessoas de seu time a crescerem, sempre com a multiplicação da prática, do como fazer, de que forma e que experiências devem ser replicadas.

OS 12 PRINCÍPIOS DE UM INÚTIL COMPETENTE E RELEVANTE

Existem certos princípios que levam você a se tornar um Inútil Competente e Relevante. Aliás, esses princípios são a própria cara da inutilidade competente e relevante; sem eles você nunca vai alcançá-la. E, com certeza, se você já é um Inútil Competente e Relevante, está seguindo todos esses princípios na sua vida.

É mais ou menos como aquela história: "Quem nasceu primeiro: o ovo ou a galinha?". É a inutilidade que contém esses princípios, ou são esses princípios que levam à inutilidade? Brincadeiras à parte, as duas alternativas estão certas.

Mas vamos deixar de lado esses detalhes filosóficos e falar um pouco sobre os princípios que todo Inútil Competente e Relevante conhece, aceita como verdadeiros e pratica na sua vida diária.

Princípio número 1: fazer com que os outros se deem bem é a chave-mestra da inutilidade.

A inutilidade competente e relevante tem como chave-mestra preparar os colaboradores de seu time para serem tão bons ou ainda melhores que você. Logo, é preciso estimular, incentivar e ajudar seus colaboradores a se darem bem em suas carreiras. Quanto mais você ajuda as pessoas do seu time a se darem bem, mais você se torna um Inútil Competente e Relevante.

Princípio número 2: estar sempre contente, mas nunca satisfeito.

Estar contente é ser grato por tudo o que você conseguiu. Mas você não deve deixar que isso o torne acomodado, preguiçoso. Você nunca pode se dar por satisfeito na vida, porque a satisfação vira estagnação, e a estagnação é a própria morte em vida.

Mesmo que você imagine que conquistou tudo o que desejava, entenda que ainda há muito mais para conquistar. Estabeleça uma nova meta, um novo objetivo, mais alto ainda do que o que você já conseguiu, e vá em frente, vá para cima dos desafios, pois o próximo patamar vai estar esperando por você.

Lembre-se que o segredo é não se queixar de nada, mas também não se sentir satisfeito com o que conquistou. Agradeça por tudo, mas busque sempre mais.

Princípio número 3: ter uma visão de longo prazo.

A visão de longo prazo permite que você tenha um desempenho superior e o leva a dar saltos mais significativos nos seus níveis de desenvolvimento. Ninguém se torna um Inútil Competente e Relevante sem ter uma visão de longo prazo. Quem vê somente o que está diante do seu nariz é incapaz de trabalhar o suficiente para ser um Inútil Competente e Relevante.

Existe uma frase bem conhecida no mundo dos negócios que diz: "O futuro não se adivinha, o futuro se constrói". E para construir um futuro na direção que você quer, é preciso ter uma visão de longo prazo, construída com base no estudo de suas próprias experiências e em casos de outros profissionais de sucesso, para servir de mapa dos caminhos que você deve seguir para chegar aonde quer.

Princípio número 4: pessoas são a chave de tudo.

Não importam toda a tecnologia, todos os recursos, todas as facilidades que você tenha no seu negócio, na sua profissão. Se você não tiver um time que vai para cima dos problemas com você, com garra e vontade de crescer, nunca chegará a ser um Inútil Competente e Relevante.

Somente as pessoas do seu time têm o potencial de elevar você ao patamar de inútil. Lembre-se sempre disso.

Princípio número 5: o equívoco é um sinal amarelo, apenas.

Equivocar-se é mais humano ainda do que errar, pois trata-se de um engano, um mal-entendido. E quanto a errar, uma vez faz parte, mas repetir várias vezes o mesmo erro já é burrice.

Cometer enganos é juntar experiência para acertar cada vez mais. Saiba que um equívoco ainda não é um sinal vermelho e não obriga você a parar com tudo. O equívoco é apenas um sinal amarelo, indicando que você precisa ter mais atenção no que está fazendo e olhar para a situação com olhos de quem quer aprender com os próprios erros.

Não tenha medo de errar, aceite o equívoco como parte do processo de crescimento. É a força dos seus erros, mesmo graves, que vai obrigar você a voltar para a luta com mais garra e determinação. Quanto mais doloridas forem as consequências dos seus erros, melhor você irá se preparar para enfrentar situações desfavoráveis. Muitas vezes seus erros não são passíveis de retomada, mas, quanto mais você aprende com seus equívocos, mais Inútil, Competente e Relevante você se torna.

Prefira os equívocos aos erros fatais em sua trajetória, pois estes não são passíveis de solução ou retomada.

Princípio número 6: o objetivo compensa a dor.

Quem é Inútil, Competente e Relevante demonstra uma força especial para ousar até fazer acontecer o que busca, para que o sucesso ocorra, mesmo que pague o preço de uma dor maior.

Como eu menciono em meu livro *Gooo Up**, uma questão que atrapalha muitas vezes é que as pessoas querem resolver seus problemas sem sentir dor. Só que isso não existe. Todo processo de solução de um problema envolve algum tipo de dor, mas o sofrimento é opcional. A dor é necessária, para que as coisas voltem a funcionar direito e para que você cresça durante o processo de solucionar aquele problema. Afinal, o melhor aço é forjado quando submetido ao aquecimento extremo e a grandes pressões.

Quando entendemos que o objetivo compensa qualquer dor intermediária, não há por que encarar um problema como uma desgraça, mas sim como uma possibilidade de ganho.

Princípio número 7: cada um tem o que faz por merecer.

Não acredito quando dizem que apenas algumas pessoas especiais têm condições de chegar ao sucesso, considero isso uma bobagem. O que acredito é que somente algumas pessoas fazem por merecer o sucesso e por isso o alcançam.

É isso mesmo. Se quisermos alcançar nossos objetivos e realizar nossos sonhos, temos que correr atrás, batalhar e fazer por merecer.

---

* *Gooo Up – aprenda o método infalível de como resolver problemas, conquistar qualquer objetivo e crescer acima de todas as expectativas,* disponível em: https://www.albertovendas.com/livros.

Não podemos ficar parados, esperando um cavalo selado passar para montarmos nele.

Para que você se torne um *Inútil Competente e Relevante*, com sucesso crescente e ininterrupto, é necessário ter dedicação, esforço e persistência. Tem que fazer por merecer, não importa qual seja o objetivo que procura realizar.

Você tem que fazer a sua parte. De resto, o Universo vai abrir as portas para você.

Princípio número 8: tudo é uma questão de replicar e modelar.

A pior asneira que alguém pode fazer é querer reinventar a roda. Trocando em miúdos, quero dizer que o sucesso é uma questão de replicar as coisas que já deram certo e usar como modelo pessoas que já conquistaram o sucesso que estamos buscando.

Replicar o que com certeza funciona nos ajuda a ganhar tempo e a errar menos. Por isso, quando você entrega ao seu time o que sabe, partilha o caminho certo com os seus colaboradores e os auxilia a replicar seus ensinamentos, está abrindo um horizonte de oportunidades não só para si mesmo, mas também para todos que participam dessa sua jornada de conquistas.

A estratégia principal é estimular as pessoas do seu time a crescerem, mas sempre com a multiplicação da prática, do como fazer, de que forma e quais experiências devem ser replicadas e a clareza sobre quais profissionais exemplares devem servir de modelo para o avanço – tanto o seu como o de seus colaboradores.

Princípio número 9: nada se faz da noite para o dia.

Se até Deus levou seis dias para criar a Sua obra, quem somos nós para querer fazer sucesso da noite para o dia? É lógico que tudo o que construímos leva tempo e requer paciência até se concretizar.

Para se tornar um Inútil Competente e Relevante, por exemplo, como já visto anteriormente, a pessoa tem de passar pelo "ciclo do processo de inutilidade", que tem três fases: 1. O neófito motivado, 2. O útil com resultado, 3. O útil com resultado, contribuição e vaidade controlada. Portanto, é um processo, e esse caminho leva tempo para ser percorrido.

Não faça corpo mole e vá para cima desse processo, porém não se cobre por um resultado da noite para o dia. Faça a sua parte bem-feita e dê o tempo necessário para que a sua inutilidade competente e relevante se torne uma realidade.

Princípio número 10: sonhos só servem na cama; tenha objetivos gigantescos.

Eu acredito que tudo começa com um sonho. Mas atenção: começa, mas não permanece nem acaba no sonho. Se acabar, será apenas um sonho mesmo. E sonhos sem as ações para realizá-los só servem mesmo na cama, quando estamos dormindo e impossibilitados de fazer qualquer coisa. Nesse caso, nossos sonhos são apenas fantasias e muitas vezes até atrapalham nosso sono e descanso.

Todo sonho que almeja realizar algo tem que ser acompanhado de objetivos gigantes, que nos façam sair da cama todo dia e batalhar para realizá-los.

Sem os objetivos definidos e as ações necessárias, nossos sonhos não passam de fantasias e só servem para encher a nossa cabeça.

Princípio número 11: seguir a trilha da inutilidade.

Para se tornar um Inútil Competente e Relevante, você precisa seguir a trilha da inutilidade, que passa pelos seguintes pontos: necessidade, transformação, aprendizado, independência, comprovação, propagação, estímulo, ser incansável. Trocando em miúdos, temos:

- **Necessidade** – A necessidade gera o motivo que nos leva a querer ser cada vez mais bem-sucedidos na vida. Tenha um motivo forte para lutar pela inutilidade.
- **Transformação** – Com uma necessidade clara e um motivo forte, batalhe para se transformar no líder que o seu time vai querer seguir. Seja o exemplo de sucesso que as pessoas procuram.
- **Aprendizado** – O seu maior trunfo é o aprendizado obtido enquanto caminha na direção da realização dos seus objetivos. Somando esse aprendizado à experiência que adquire durante o processo, você se qualifica para ser um modelo de referência para o seu time.
- **Independência** – Com aprendizado, experiência acumulada e determinação para alcançar resultados, você cria a independência necessária para caminhar até o seu objetivo.
- **Comprovação** – Com a comprovação de seus excelentes resultados, você conquista a autoridade necessária para conduzir o seu time pelo caminho do sucesso.
- **Propagação** – Uma vez que você dá o exemplo e ensina o seu time a seguir pelos caminhos que já percorreu, a sua experiência e os seus conhecimentos se propagam pelo seu time, criando as condições necessárias para você se tornar um Inútil Competente e Relevante.
- **Estímulo** – O seu exemplo e os seus resultados serão o estímulo de que o seu time precisa para seguir pelos caminhos que você indica, de tal maneira que cada um dos seus colaboradores também passará a buscar sua própria inutilidade competente e relevante. Dessa maneira, todos continuarão a crescer e evoluir em suas carreiras.
- **Ser incansável** – Você precisa ser um eterno incansável, para continuar crescendo e estimulando seu time a seguir seus passos e também evoluir. É isso que vai garantir que todos atinjam seus objetivos e que cada um se torne, por sua vez, um Inútil Competente e Relevante.

Princípio número 12: a cada dia estou mais perto da inutilidade competente e relevante.

Acreditar é a base de todo sucesso. Sempre que nos propomos a realizar algo, um dos primeiros passos que temos de dar é cultivar a crença de que somos capazes. Sem a crença na realização, ninguém chega a nada. Se você não acredita que pode fazer, nem comece, porque só vai perder seu tempo e gastar energia.

Portanto, faça desta frase um mantra: "A cada dia estou mais perto da inutilidade competente e relevante". Repita esse mantra todos os dias, tantas vezes quanto sentir ser necessário para afastar qualquer tipo de dúvida da sua mente.

 ALGUMAS DIRETRIZES DA INUTILIDADE COMPETENTE E RELEVANTE

1. Faça dos 12 princípios de um Inútil Competente e Relevante o seu manual de vida. Guie-se por ele e realize a sua inutilidade de uma maneira que o levará a ser milionário.
2. Não se detenha diante das dificuldades. Elas são apenas um sinal amarelo, chamando a sua atenção para o que é importante levar em conta nos seus próximos passos.
3. Acostume-se a fazer com que os outros também se deem bem. Essa é a chave-mestra da inutilidade. As pessoas são a chave de todo o seu sucesso.

INÚTIL COMPETENTE E RELEVANTE *VERSUS* ÚTIL DESCARTÁVEL

Costumo usar um binário de comparação entre um *Inútil Competente e Relevante* e um *Útil Descartável*. Assim fica mais fácil compreender o modo de pensar e de agir de cada uma dessas duas categorias de profissionais e empreendedores. Coloquei essas características na tabela a seguir. Acompanhe com atenção as comparações e perceba as diferenças.

Procure imaginar os resultados que cada uma dessas possibilidades poderia trazer para o seu sucesso – ou a falta dele – e para o avanço ou a paralisação do seu time.

Para tornar esse exercício mais interessante, para cada linha na tabela assinale um "X" na coluna A, caso você se identifique mais com um *Inútil Competente e Relevante*, ou assinale um "Y" na coluna B, caso a sua identificação seja maior com um *Útil Descartável*.

MODO DE PENSAR E AGIR DO INÚTIL COMPETENTE E RELEVANTE	A	MODO DE PENSAR E AGIR DO ÚTIL DESCARTÁVEL	B
Característica		Característica	
Mantém a porta aberta para compartilhar seus conhecimentos. Sabe que tudo que é compartilhado abre espaço para entrar novas ideias e oportunidades.		*Tranca com cadeado seus conhecimentos.* Esquece que aquele que retém conhecimentos pode ter uma overdose de ignorância no seu time. Se o indivíduo não libera o conhecimento que já é seu, de nada vale esse conhecimento.	
Primeiro, entrega o mérito do time. Ele entende que é o treinador, que é apenas o veículo, e dessa forma sabe que o *show* é feito pelo time.		*Cadê meu troféu?* Só quer ser o mais lembrado, o mais reconhecido, e foda-se quem o ajudou.	
O sonho coletivo faz parte do seu próprio sonho. Ele sabe que ninguém faz nada sozinho. Ou seja, entende que o time unido vale mais do que um excelente centroavante.		*Não tem espaço para mais um sonho.* Somente seu próprio sonho importa. Não entende que um sonho único pode valer por uma vida, mas isso é frágil demais. Mesmo uma coisa bem-feita, que poderia marcar toda sua trajetória, é fraca demais para ser a única opção.	
A matemática do fazer é a lógica. O importante é fazer, mesmo que na simplicidade de cálculos com pedaços de palitos de dente, sem a necessidade de calculadoras e tecnologias sofisticadas. A lógica é o que predomina.		*O que eu falo é o certo, não importa a lógica.* Muitas vezes o indivíduo se contrapõe à própria lógica e à matemática simples, procurando mostrar que é o dono da verdade.	
Modelo certo é aquele que entrega resultados. Não importa de onde vem o modelo de ação, o certo é aquilo que funciona; simples e prático assim. A melhor ideia é sempre a que dá resultados.		*Faça o que estou dizendo ou o que já fiz.* Nunca está aberto a novas experiências, mesmo que sejam de profissionais melhores que ele.	
Seja arquiteto e construtor. Não faz sentido ser apenas um pedreiro, sem entender do processo todo e sem conhecer o sistema de crescimento.		*Melhor ser um ótimo pedreiro.* Prefere fazer um cômodo quadrado e sem graça, tijolo por tijolo, do que usar a criatividade de uma boa arquitetura.	
Sabe que a dor do meio é necessária. Como dizem os norte-americanos, *"No pain, no gain!"*		*Quer ver logo o final, custe o que custar.* Ultrapassa valores e ética para ter o que quer no curto prazo. Busca sempre atalhos que não existem, causando frustração futura.	
Tem o tempo de saída claro e bem-definido. Entende que tudo um dia termina e estabelece isso na sua jornada de atividades.		*Age do modo "deixa a vida me levar".* Tem o típico pensamento "vamos levando enquanto o mundo está em movimento".	

COMO SER UM INÚTIL E SE TORNAR MILIONÁRIO

Característica	A	Característica	B
Vive o dia de amanhã no hoje e se prepara para ele. Não sabe se amanhã estará vivo, portanto dá o seu melhor hoje, como se fosse o seu último dia de vida.		*Preocupa-se apenas com o imediatismo, com o tesão sem visão*. É o típico adolescente que acabou de perder a virgindade; fica louco como um cavalo rufião sobre a égua, mas no fim deixa para o garanhão fazer o serviço.	
Entende que todo ciclo tem início, meio e fim.		*Age como um doido irresponsável: me dá que eu resolvo*. Quer os holofotes sobre ele, mesmo que ultrapasse limites legais para isso.	
Compreende e aceita que o fracasso faz parte da jornada de sucesso.		*Não segura um ovo sem emoção*. Precisa da emoção para tomar decisão, não consegue separar a razão em casos que necessitem.	
Já fiz e tenho resultados como prova. Sabe que o testemunho sustentado por resultados vale mais do que tudo.		*"Alguém me disse..."*. Sabe que um dia escutou algo sobre o que deve ser feito, mas não tem nada que comprove a eficiência do que sugere.	
Multiplica o dia com seu time. Entende que dez pessoas transformam o dia em 240 horas.		*Quer atrasar o relógio*. Acha que o tempo resolve tudo, sem inteligência emocional nem organização.	
Dinheiro é veículo e liberdade. Trabalha pelo benefício, e não pela grana em si.		*Trabalho se compra com horas*. Vende o minuto, e não seu resultado.	
Não importa o dia, vai e faz. Se o seu coração bateu, não importa se é dia útil, feriado ou fim de semana, a entrega é que vale.		*Hoje não trabalho*. Procure-me de segunda à sexta. Esquece que o sonho grande não acontece só em dias úteis.	
Troca mais por menos. Prefere algo poderoso a alegrias inúteis e vazias.		*Tamanho e quantidade sustentam*. Esquece que é massa de manobra e não almeja estar entre os melhores um dia.	
Escuta, mesmo com dúvida. Pratica a escuta ativa, que transforma em resultados.		*Meu ouvido não é penico*. Tenho mais o que fazer... Acha que contar uma piada, para aparecer, é melhor do que ouvir o que o outro tem a dizer.	
A vida pessoal e a profissional são uma só unidade. Não existe diferença entre as áreas da sua vida. Todas são consideradas, respeitadas e tratadas ao mesmo tempo.		*Não levo trabalho para casa*. Faz questão de deixar claro que ele "sai do serviço às 18 horas e que só devem procurá-lo a partir das 8 horas do dia seguinte".	
Busca conexões sustentáveis. Existe sempre um motivo de perenidade, e não apenas de momento.		*E vai rolar a festa...* Tudo é diversão sem fundamento. Tudo muito volátil e passageiro.	

Vamos avaliar, então, em que ponto você se encontra neste momento. Conte quantos "X" você marcou na coluna A e quantos "Y" você marcou na coluna B.

Agora compare os valores e perceba o quanto você já caminhou na direção de se transformar em um *Inútil Competente e Relevante*, ou se ainda está muito perto do *Útil Descartável*.

Aqui vale pensar em obter um resultado em que X > Y (X é maior que Y). Ou seja, quanto maior a quantidade de "X", em relação ao número de linhas marcadas com "Y", mais próximo você estará de se tornar um *Inútil Competente e Relevante*.

E então? O que concluiu com esse teste? Em que posição você se encontra? E o que vai fazer a respeito disso?

 ALGUMAS DIRETRIZES DA INUTILIDADE COMPETENTE E RELEVANTE

1. Pare de ser egoísta. Compartilhe seus conhecimentos com seu time.
2. Faça dos sonhos do seu time uma parte importante dos seus próprios sonhos.
3. Compreenda e aceite que o fracasso faz parte da jornada. É dele que surgem seus principais aprendizados.

A TRÍPLICE COROA DO INÚTIL COMPETENTE E RELEVANTE

Uma coroa que vale por três. Uma coroa de ouro com três diamantes de alto valor incrustados. Por isso, costumo chamá-la de "A Tríplice Coroa". Conquistar essa coroa é a maior prova de que você se tornou um legítimo *Inútil Competente e Relevante*.

A coroa é a base que sustenta os diamantes. Ou seja, ela é toda a sua estratégia, todo o seu trabalho e toda a energia e determinação que você dedicou e dedica à sua vida profissional e pessoal. E cada um dos diamantes tem um significado especial, ligado a uma postura e um modo de agir específico, que ajuda a construir seu caminho para o topo. Conheça agora um pouco de cada um desses diamantes.

O primeiro diamante é conquistado quando você segue esta regra: repasse tudo o que você sabe, no tempo mais curto que puder, para todas aquelas pessoas do seu time que precisam de sua sabedoria e experiência.

Uma das coisas mais importantes que aprendi é que escalar um negócio e replicar bons exemplos são coisas que precisam ser percebidas de forma diferente. Afinal, escalar muitas vezes não é o resultado de replicar perfeitamente o que deu certo. O que digo é que replicar tem muito mais a ver com a manutenção da essência daquilo que se faz do que apenas com as ações propriamente ditas.

Já quanto a replicar no tempo mais curto possível, essa é uma estratégia para o melhor aproveitamento do seu tempo. Todo *Inútil Competente e Relevante* sabe muito bem que o tempo pode ser seu aliado, mas também pode ser seu inimigo, se você se descuidar, e que isso é um fator gerador de maiores ou menores resultados, que podem levá-lo a se tornar alguém bem-sucedido ou não.

Uma verdade que tenho comprovado é que o tempo "se expande" conforme necessitamos para entregar nossos resultados. Isso é útil, mas também é daí que nascem os procrastinadores, que não têm objetivos bem definidos e assim empurram tudo com a barriga, como se tivessem todo o tempo do mundo. Essas pessoas costumam dizer que "o mundo não vai acabar", por isso desperdiçam seu tempo com total irresponsabilidade.

Em minhas avaliações, tenho percebido o nosso poder de expandir o tempo dentro do que necessitamos, o que nos dá um diferencial competitivo enorme. O interessante é ver que, no final das contas, nem sempre é a minha inteligência que me permite fazer isso de forma que promova o meu crescimento, mas sim o meu entusiasmo que, acima de tudo, me ajuda a me tornar um inútil competente, de fato e em menos tempo, na minha trajetória profissional.

Dito isso, vou citar aqui alguns pontos para ajudar você a ir em busca da réplica perfeita, com grande escalabilidade, para ter e se tornar um *Inútil Competente e Relevante* no menor tempo possível. Acompanhe a seguir:

- Avalie a capacidade do seu liderado de sentir dor sem desistir. Quanto mais tempo ele aguentar, mais terá a chance de replicar seu líder.
- Seja cuidadoso e observe se o poder dado ao seu liderado, ou percebido por ele, não irá afetar seus princípios e valores. Lembre-se que o poder é uma grande oportunidade de conhecer as pessoas.
- Teste o caráter do seu liderado, antes de testar suas possíveis competências. Afinal, o seu objetivo é ajudá-lo a se tornar alguém que impacte todos. E ao alcançar esse objetivo, isso fará com que você seja sempre lembrado. Portanto, cuide para que se lembrem de você como o líder que soube avaliar e potencializar pessoas realmente dignas de serem impulsionadas para o sucesso. Um conselho especial: desconfie até da sua própria sombra, até que se prove o contrário. Essa é uma atitude que lhe permitirá avaliar melhor as pessoas do seu time e tornará possível que você seja mais justo e preciso quando apoiar alguém.

O segundo diamante é conquistado quando você segue esta regra: tenha VRCC (Velocidade, Repetição, Coerência e Consistência) na sua profissão, para conquistar mais rapidamente uma mudança de patamar. Vou falar com mais detalhes da estratégia VRCC nos próximos capítulos.

O terceiro diamante é conquistado quando você segue esta regra: deixe seu ego de lado. A sua vaidade não o leva a nada, porque apenas massageia o seu "eu interior", mascara suas dificuldades, anestesia suas dores e esconde suas fraquezas.

Todo ser humano tem suas vaidades, e isso não é diferente na área profissional. Só que não podemos deixar que elas ultrapassem a barreira do bom senso e da inteligência emocional. Quando isso acontece, a pessoa ignora suas fraquezas e despreza as próprias falhas, a tal ponto que começa a fazer um monte de besteiras.

Não há como evitar: se você não for humilde o suficiente para admitir seus equívocos e erros e avaliar o que se pode tirar de bom dessas lições, falando em português bem claro, "isso vai dar merda".

Entenda que a sua vaidade apenas vai embriagá-lo e distorcer a realidade, prejudicando o seu desempenho e os seus resultados. No dia seguinte, você ainda vai ter aquela dor de cabeça e aquela ressaca que, além de incômodas, podem durar um bom tempo e comprometer todo o seu desenvolvimento.

E então? Quantos diamantes desses você já conquistou na sua vida? Você está realmente decidido e dedicado a conquistar todos eles? Não se esqueça que, para tomar posse desses diamantes, você tem que se empenhar constantemente, com força, determinação e decisão. E mesmo depois de conquistá-los, ainda terá que se dedicar diariamente a polir cada um deles, para deixá-los sempre brilhando e iluminando seu caminho.

Pense sobre isso tudo, avalie e ajuste as coordenadas do seu caminho rumo à conquista da Tríplice Coroa, para se tornar um legítimo *Inútil Competente e Relevante* e abraçar de vez o sucesso.

 ALGUMAS DIRETRIZES DA INUTILIDADE COMPETENTE E RELEVANTE

1. Repasse tudo o que você sabe, para que o seu time replique no tempo mais curto possível.
2. Trabalhe sempre com Velocidade, Repetição, Coerência e Consistência, para conquistar mais rapidamente a sua inutilidade competente.
3. Deixe seu ego de lado. A sua vaidade não o levará a nada.

A SUA CAPACIDADE DE MULTIPLICAR

A sua inutilidade competente e relevante será do tamanho da sua capacidade de multiplicar. Essa é uma ideia que dá uma sacudida nos neurônios, não é mesmo? Mas é isso mesmo que você leu.

O que quero lembrar aqui é a necessidade de investir pesado na sua capacidade e habilidade de multiplicar o que sabe por meio de ações e orientações. Sem multiplicação das suas ações, você será apenas mais uma andorinha, que "sozinha não faz verão" – acredito que você já tenha ouvido esse ditado.

Você tem que ser especialista em dividir seus conhecimentos e experiências com as pessoas do seu time. Seus negócios e projetos ganharão uma grande força de alavancagem quando você compartilhar com o seu time o que sabe fazer com excelência e como obtém os resultados relevantes no mercado em que atua.

É necessário que você se atente para o fato de que pessoas, sistemas, métodos, produtos e serviços precisam estar alinhados para que se possa fazer uma multiplicação de resultados positivos. Só assim é possível promover réplicas e multiplicações de forma a não perder a efetividade – lembrando sempre que ser efetivo é ser eficiente e eficaz, com qualidade de resultados.

Vou dar um pequeno exemplo para que fique mais claro sobre o que estou falando e também para inspirar você na direção certa.

Todos os times de vendas que formei, sem exceção, têm como base um líder para oito consultores de vendas.

No nosso esquema de trabalho, às segundas-feiras não nos dedicamos a fazer vendas, já que esse é um dia da semana que usamos para afiar nossos machados, com reuniões, ajustes finos, avaliações de resultados, verificação e aferição de estratégias e outras atividades semelhantes. Portanto, temos na realidade quatro dias dedicados às vendas, sem contar os sábados, que costumo deixar como um tipo de dia curinga, usado estrategicamente quando necessário para dar um "plus" e atingir os resultados buscados. Dividimos os dias em dois turnos: manhã e tarde.

Dessa forma, a cada turno o líder acompanha um consultor de vendas em seu trabalho. Logo, com oito consultores por time e dois turnos por dia, em quatro dias é possível ter muita proximidade com o time de vendas. Essa é apenas uma forma que encontrei para ajudar a multiplicar os resultados de todo o pessoal que trabalha comigo.

Depois, para cada dois times, estabeleci um líder superior. E então, a cada 32 colaboradores, utilizei um interlocutor para suprir as necessidades que se apresentavam – na verdade, esse profissional funcionava como uma espécie de olheiro e precisava entender o que estava acontecendo em diversos níveis dos caminhos dos times. Um detalhe: somente eu e esse consultor sabíamos o que e quem estávamos avaliando.

Esse se mostrou um esquema de multiplicação e de acionamento de réplicas bastante efetivo, de tal maneira que chegamos a ter mais de 700 profissionais no projeto, vendendo seguro de vida de porta em porta.

ALGUMAS DIRETRIZES DA INUTILIDADE COMPETENTE E RELEVANTE

1. Entenda que a sua inutilidade competente e relevante será do tamanho da sua capacidade de multiplicar tudo o que você sabe, dentro do seu time.
2. Torne-se um especialista em dividir seus conhecimentos e experiências com as pessoas do seu time.
3. Fique atento para o fato de que, para fazer uma multiplicação de resultados realmente positiva, você precisa alinhar as pessoas, os sistemas, os métodos, os produtos e os serviços que fazem parte do seu negócio.

CONSIDERAÇÕES SOBRE A INUTILIDADE BEM-SUCEDIDA

Existem considerações que são importantes você fazer para interiorizar, o máximo possível, essa ideia de se tornar um Inútil Competente e Relevante. Por isso, reuni algumas delas neste capítulo, para servirem de pontapé inicial no seu hábito de estar sempre ligado ao seu objetivo de se tornar um verdadeiro inútil. Acompanhe esses raciocínios e procure aplicá-los nas tarefas do seu dia a dia.

As amarras da eterna utilidade frágil

Muita gente quer ser útil eternamente no mesmo lugar, e é aí que o bicho pega. É aquele tipo de sujeito que pensa que "só ele é bom e só ele sabe das coisas", por isso aquele lugar é dele e de ninguém mais. Isso é o mesmo que ficar a vida toda secando gelo: não leva a lugar nenhum.

Com o tempo, a pessoa acaba atrofiada e se torna irrelevante ao propósito da vida, que é sempre mudar de patamar, sempre evoluir.

Quero que você pense nisso e perceba que, quanto mais sua empresa ou seu negócio for dependente de você com a sua utilidade, mais seus resultados serão atrofiados, menos os seus objetivos irão acontecer e menor será a escalabilidade que você conseguirá.

A quebra do paradigma de que ser um inútil é incompatível com o sucesso

Fiz uma pesquisa nas minhas redes sociais, perguntando: "Você acredita que é possível ser inútil e ao mesmo tempo um milionário bem-sucedido?". E sabe qual foi a resposta? A grande maioria das pessoas disse que era impossível.

A sociedade entende que ser inútil resume-se em ser alguém que não serve para nada, o que na verdade é um mito. É preciso entender que ser um **inútil irrelevante e incompetente** é muito diferente de ser um Inútil Competente e Relevante. E isso já é uma nova e grande quebra de paradigma.

A prova social de que é possível ser um inútil

Eu sempre digo às pessoas: "Não é possível que uma palavrinha tão simples como 'inútil' impacte tanta gente de forma depreciativa. Será que vocês não entendem que ser um Inútil Competente e Relevante é a chave das grandes conquistas?"

Por exemplo, pare um pouco agora e faça uma lista de cinco pessoas que você considera como casos especiais de sucesso em seu mercado profissional.

Agora pense comigo: dentro do conceito que venho apresentando sobre a inutilidade competente e relevante, avalie se essas pessoas se tornaram ou não verdadeiros Inúteis Competentes e Relevantes para chegar onde estão. É claro que sim!

Para chegar a esse nível de sucesso conquistado, esses indivíduos precisaram primeiro ser úteis indispensáveis, para depois entenderem o jogo da inutilidade e então se tornarem inúteis e bem-sucedidos. Essa é a maior prova social possível de que ser um inútil é positivo para que se possa criar a condição da inutilidade competente.

Pois, então, a prova social de que a inutilidade competente e relevante funciona você já tem, com esses exemplos. Agora precisa pensar em como você vai se tornar tão relevante que irá preparar todo o terreno do seu time de vendas, por exemplo, para que novos líderes surjam e deem conta do recado, como você mesmo o faz. Em outras palavras, como você possibilitará que a sua inutilidade se torne uma oportunidade de crescimento e relevância para todo o seu time e, é claro, para você mesmo.

Pense em como fará para se tornar a prova privada, não a social – pois a prova privada é você mesmo sendo foda, sem utilizar os outros para provar suas possibilidades –, para que outras pessoas do seu time possam seguir os seus passos e ter mais força para também se tornarem verdadeiros Inúteis Competentes e Relevantes.

Quando o relógio não tem relevância, mas os resultados sim

Trabalhar com muito esforço não é sinal de resultado positivo ou relevante, não é sinal de algo poderoso por si só. Sim, é isso mesmo que você leu.

É claro que o tempo é importante e, quanto mais você o utilizar a seu favor, mais coisas interessantes podem surgir na sua vida, como aumentar o seu aprendizado e a sua experiência, de modo que você saia na frente dos outros na competição do seu mercado de trabalho. Mas o tempo nunca será fator de crescimento exponencial se não for bem compreendido.

A verdade é que meu sucesso se deve principalmente ao fato de que eu nunca fico parado, olhando as paredes e vendo o tempo passar. Lembro-me bem que, quando vendia seguro de vida de porta em porta, eu ganhava tempo e experiência trabalhando nas madrugadas, visitando delegacias, postos de saúde e outros estabelecimentos de funcionamento noturno. Assim, obtive mais experiência e, nessa coisa louca de visitar, visitar, visitar, atingi mais de 8 mil visitas oficiais, apresentando o produto que eu tinha para ofertar, em apenas nove anos de trabalho – e todas devidamente registradas em agendas, conforme você pode verificar na foto a seguir.

Nesse caso, posso dizer que o tempo me foi útil. Porém, se eu falasse que trabalhava 15 horas dia, mas sem ter essa dedicação direcionada para meus objetivos, que fundamento isso teria?

Da boa utilização que fiz do meu tempo, vieram a experiência, os erros, os pequenos acertos e depois os acertos maiores e, bingo!, entendi que a minha inutilidade na rua era verídica. E então estava na hora de repassar isso e me tornar um útil indispensável em outro formato, era hora de montar times de vendas. Depois disso foi que me tornei um Inútil Competente e Relevante, ensinando outros a fazerem o que eu fiz, e assim seguiu o jogo, com um time inteiro colaborando e fazendo gols.

Para concluir, quero deixar claro aqui que o tempo pode até prejudicar, quando não percebemos sua utilidade, mas ser o dono do relógio não é sinal de relevância. Seus resultados, usando o tempo de forma construtiva, é que farão a diferença no seu sucesso.

É hora de partir para outro patamar

Existe um momento em que precisamos olhar com atenção e perceber que chegou a hora de partir para outros patamares.

Por vezes vamos entender que já passamos para o nosso time tudo o que poderíamos, e nosso sentimento de ansiedade tende a aflorar, pois começamos a nos sentir irrelevantes. Nessa hora é preciso compreender que já passamos do ponto e precisamos acelerar para não nos tornarmos um peso estrutural onde estamos. É exatamente nesse ponto que fica claro que chegou o momento de buscarmos novas oportunidades e caminhos em uma nova empresa, em um novo empreendimento ou em novos mercados, por exemplo.

Vou dar um exemplo pessoal: a vida toda acreditei que vender seguro de vida era a única coisa que eu fazia bem, mas fui surpreendido pelo mercado de outros produtos que, com minha experiência e meus resultados, poderiam ser novas frentes de trabalho e de diversão para mim.

Por ter ensinado meu time a ser melhor do que eu, ao mesmo tempo criando metodologias de vendas, estruturas de formação e modelos de abertura de mercados que deram certo e são um sucesso, acreditei que estava no final de mais um ciclo de utilidade e passei a me sentir um tanto inútil.

Assim, com a inutilidade competente e relevante que eu tinha conquistado, busquei mais uma vez mudar de patamar e subir a régua dos meus desafios. Entendi que havia pessoas muito melhores que eu em outros mercados e comecei a ver que eu também poderia estar entre elas, pela minha fome e ambição maluca de me tornar alguém mais relevante para outros empreendedores, outros negócios e a própria sociedade em meu país.

Assim, fui me preparando para lançar uma verdadeira máquina de vendas para diversos setores, e nasceu o grupo chamado XGAIN Aceleradora e Franchising.

O ramo de seguros pulsa nas minhas veias, e minha vida vibra e existe nesse mercado, mas eu precisava de algo mais, sentia que era possível criar um ecossistema positivo e favorável na XGAIN. Então passamos a atuar com laboratórios, clínicas de estética, empresas de *leads* segmentados, treinamentos, cursos práticos e formações, franquia de manicures e por aí vai.

Fator social e avaliação depreciada da inutilidade

Se você for explicar que o segredo do sucesso é ser um inútil competente, precisará ter paciência para esclarecer o motivo e demonstrar por A mais B que isso é verídico, apresentando *cases* com os quais a própria pessoa se identifique. Qualquer *case* de sucesso verdadeiro só existe porque alguém se tornou um Inútil Competente e Relevante ao longo de sua trajetória. Mas a forma como isso é compreendido pelas pessoas é a grande questão.

Basta perguntar a qualquer um, quando falar sobre ser inútil, e você terá um quadro claro do que a sociedade entende sobre essa qualificação e, com certeza, ouvirá muitos dizerem que isso é incompatível com o sucesso.

O que precisamos é separar o que é a **inutilidade irrelevante e incompetente**, depreciada, da **inutilidade competente e relevante**, necessária para o sucesso.

Não estou aqui com pretensão de mudar a visão de ninguém, mas apenas para falar que existem vertentes e paradigmas que precisam ser quebrados, se o sucesso é o que buscamos. Um desses paradigmas principais é a crença de que ser inútil é algo ruim e se contrapõe ao seu sucesso.

Gosto de falar que líderes úteis são aqueles que já fizeram a base se estruturar e, assim, se tornaram inúteis naqueles moldes e estratégias que buscamos. Diante desse cenário, eles precisam de maiores desafios a serem superados e novos patamares a serem alcançados. Isso já foi explicado aqui neste livro.

O medo de perder um mar calmo

A inutilidade irrelevante e incompetente tem tudo a ver com a pessoa paralisar o possível algo a mais que poderia realizar e permanecer sendo "o cara limitado naquele mundinho em que está vivendo".

Em um mar calmo por muito tempo, é provável que o capitão comece a beber e morra de cirrose, pois não tem mais desafios e patamares a serem alcançados. Claro que isso é uma metáfora, mas, para aquelas pessoas que têm o hábito de não fazer nada e consideram que isso é o sucesso, quero dizer que essa situação é, na verdade, uma faca interna que irá matá-las e impedir que se tornem ainda mais relevantes na sociedade.

A cada dia temos que ser desafiados, para nos tornarmos úteis naquilo a que nos propomos, e só então partir para a inutilidade, pedir passagem para outros degraus que nos farão ainda mais intensos e focados.

Quantos vendedores, líderes e profissionais, independentemente da área em que atuam, estão estagnados, se achando os "fodões", mas não têm coragem para abrir a janela, com medo de um novato tomar seu lugar? Isso ocorre porque eles ainda não entenderam o poder que existe em fazer com que os outros sejam melhores do que eles, tornando-se assim máquinas de preparar negócios e gente poderosa que entrega o que é preciso, sem mi-mi-mi.

A certeza de que, quanto mais inútil competente, melhor

Quando você chegar à compreensão de que vive para subir, e não para descer, e que a inutilidade competente e relevante é aquilo de que precisa para alçar voos maiores, esse será o sinal de que está pronto para uma nova era na sua vida profissional.

É necessário ter essa compreensão bem estabelecida, pois trabalhar com vendas é uma questão de alinhamento de sinapses no seu cérebro, definindo "como, quando, de que forma, quais objeções etc.", elementos fundamentais para exercer essa profissão com sucesso.

A capacidade de se tornar um *Inútil Competente e Relevante* é o que vai fazer de você uma máquina de produzir resultados com propósitos bem definidos. Eu poderia citar aqui vários exemplos de inutilidade competente. Entre eles, posso mencionar aquele vendedor que é um grande especialista em abertura de mercado e não fica sempre no mesmo produto. Alguém assim, sem dúvida, entende das técnicas e estratégias necessárias, mas, com certeza, também já tem em si estabelecido o sistema da *Inutilidade Competente e Relevante* e o alinhamento das sinapses do seu cérebro com sua experiência.

Outro caso é um líder que forma novos líderes para dar sequência ao trabalho com uma linha de vinhos especiais, que prepara seu time para seguir o modelo estabelecido e, dessa forma, abre espaço para que ele mesmo vá se aperfeiçoar, por exemplo, no mercado de cachaça.

Posso também mencionar aqui o meu propósito pessoal e profissional, que agora é multiplicar meus ensinamentos, compartilhar meus erros e acertos, preparar melhores líderes, entender de outros mercados e me tornar, a cada dia mais, um *Inútil Competente e Relevante*, até que com cem anos eu possa ainda ter espaço para novas inutilidades competentes.

Fator de convicção nos resultados

A inutilidade vem da utilidade pregressa. Essa é a ideia principal da incrível arte de se tornar inútil e milionário. Quando você tem certeza dos resultados, pois suas experiências já demonstraram os caminhos a seguir e os que deve evitar, adquire a convicção de que se tornou inútil a ponto de saber montar na sua mente as trajetórias que levam aos melhores patamares.

Quando você tem a convicção de sua *Inutilidade Competente e Re-*

levante, sabe também que isso é parte do seu processo de aprendizado pregresso. Assim, será muito difícil errar. É claro que existem fatores externos a considerar, mas estou falando aqui de algo como uma franquia, que por natureza é a réplica do sucesso – ou pelo menos deveria ser –, pois não faz sentido abrir uma franquia sem ter prova do resultado ou apenas para o franqueador utilizar o capital de terceiros, dos investidores, para crescer. Isso, para mim, é semelhante àqueles batedores de carteira que só querem se dar bem.

Infelizmente existem muitas pessoas que encontramos todos os dias e não servem para porra nenhuma, mas se acham a última bolacha do pacote. Estufam o "peitinho de pomba", se achando as mais poderosas do mercado. Mas, fala sério! É muito mais fácil haver inúteis irrelevantes escondidos para não serem percebidos do que úteis indispensáveis trabalhando para obter resultados.

É necessário levar em conta o fator de convicção nos resultados. As percepções de resultados são lastreadas na utilidade de quem deve futuramente construir uma inutilidade competente e replicável com outros times de trabalho, a ponto de ser esquecido no dia a dia, mas lembrado pelos feitos do negócio. Você não precisa ser visto para ser lembrado nos negócios, mas para isso precisa ter obtido resultado.

O resultado é que controla o ego, não o contrário

Este é um fato que não pode deixar de ser dito. Seu resultado precisa controlar o seu ego, caso contrário o ego vai destruir suas possibilidades de se tornar um *Inútil Competente e Relevante*.

Pegue papel e caneta e faça uma autoavaliação, descrevendo quantas vezes seu ego atrapalhou seus melhores resultados para o futuro, pois achou que já estava no ápice apenas porque se deu melhor do que alguns "pernas de pau" no seu mercado.

É muito provável que nesses casos você tenha perdido a chance de se desenvolver e de se tornar um inútil competente mais rapidamente; o ego controlou os resultados, e não o contrário. Todos já fizemos essa bobagem. A cabeça de um vendedor muitas vezes passa dos limites, visto que vive sendo pressionada pela competência de gerir emocionalmente as pancadas diárias e ainda tem que chegar em casa feliz mesmo com um dia péssimo e sem vendas.

Lembro-me bem da época em que eu batia em quarenta portas por dia, era recebido por umas dez pessoas no máximo e vendia, quando muito, para aproximadamente 20% daquelas com quem conseguia falar. Depois as coisas foram se melhorando, até que 50% de conversão se tornou algo prático e frequente, quando a esteira de vendas recebia a manutenção correta e funcionava bem. Mas até ali o pau comeu muito dentro do meu cérebro movido por minhas emoções.

Quando o que importa é olhar para trás

A partir do momento que você entende que o que importa é olhar para trás e ver que o seu legado deixou um rastro de pessoas que acreditam no sucesso e ainda contribuem para que você se torne cada vez mais um Inútil Competente e Relevante, com toda a certeza você estará descolado das médias medíocres da sociedade.

Quando você perceber que pelo seu trabalho vidas foram transformadas e que milhares de pessoas, direta ou indiretamente, são impactadas por uma elevação no nível e na qualidade de vida e estão conseguindo dar sequência ao que você fez, sem dúvida alguma você estará em um novo momento de inutilidade relevante e competente. Sua liderança útil terá se tornado inútil, competente e relevante.

Porém, nunca se dê por satisfeito. Continue trabalhando com as pessoas, ajudando tantas mais quanto possível. Pare também para avaliar quantas delas você não chegou a ajudar tanto quanto poderia. Isso é importante para você aprimorar o seu processo de ascensão como Inútil Competente e Relevante. Faça uma lista com os nomes de pessoas com quem você poderia ter contribuído mais, mas que não o fez por medo de perder seu "posto" – um posto que não serve para merda nenhuma no legado maior. Depois disso, responda à pergunta

"O que você pode fazer ainda para que consiga 'retornar no tempo' e agir de alguma forma diferente com essas pessoas?". Oferecer uma mentoria, dar uma dica, fazer uma recomendação, marcar um almoço para dar sugestões?

 ALGUMAS DIRETRIZES DA INUTILIDADE COMPETENTE E RELEVANTE

1. Quebre o paradigma de que ser um inútil é incompatível com o sucesso.
2. Olhe com atenção e perceba quando chegou a hora de partir para outros patamares.
3. Procure novos desafios todos os dias, para se tornar útil naquilo a que você se propõe e então partir para a inutilidade e pedir passagem para outros degraus que o farão ainda mais intenso e focado.

PERGUNTAS QUE FARÃO VOCÊ MILIONÁRIO

Ninguém se torna um Inútil Competente e Relevante sem antes conhecer a si mesmo. É preciso saber até onde você está disposto a ir para criar condições de avançar para um novo patamar de sucesso, quais são suas ferramentas e qual é o momento certo de conquistar a sua inutilidade relevante.

Por isso mesmo, selecionei aqui algumas perguntas sobre sua inutilidade que ajudarão a direcionar seus esforços e conseguir resultados que farão de você um inútil milionário.

Sugiro que pegue papel e caneta e responda por escrito às perguntas seguintes. Melhor ainda se você selecionar um local tranquilo, onde possa pensar nessas questões sem a interferência de pessoas ou ruídos à sua volta.

1. Em quais áreas da sua vida profissional você tem maior controle emocional?
2. Em que momento você entende que será possível se tornar um inútil na sua vida, sem que se sinta prejudicado ou afetado pela vaidade?
3. Onde você está existem pessoas que, se forem bem preparadas, podem se tornar melhores que você nos próximos doze meses?
4. Quais são as pessoas de sucesso que você admira e que poderiam servir de modelo para suas ações e rotinas?
5. O tempo que você dedica hoje a repassar o desenvolvimento de seu sucesso para que seja replicado é tratado de que forma: como obrigação ou com gratidão?
6. Em tudo o que você faz, pensa em mudar rapidamente de patamar? Ou considera que está bom ir devagarinho, a passos de uma tartaruga que está pronta para se aposentar?
7. Como você se vê aposentado? Em atividade, desenvolvendo pessoas melhores que você, trabalhando e vivendo a vida em liberdade? Ou se vê apenas curtindo a vida e gastando o dinheiro que conquistou?
8. O seu trabalho parece ser um peso para você? Ou é tudo alegria no seu dia a dia de atividade profissional?
9. Se o mundo acabasse hoje, alguém lembraria que você mudou a vida dele profissionalmente e contribuiu para aumentar sua riqueza financeira e liberdade?

Se de alguma forma você conseguiu obter respostas positivas, mesmo que não seja em todos os quesitos, é um bom sinal de que, se fizer a lição de casa, poderá, em um tempo que se dedicar com foco, intensidade e estratégia, viver a vida dos seus sonhos como um Inútil Competente e Relevante. Pense sobre isso; se for o que você realmente queira, siga em frente.

ALGUMAS DIRETRIZES DA INUTILIDADE COMPETENTE E RELEVANTE

1. Pense bem e defina até onde você está disposto a ir para criar condições de avançar para um novo patamar de sucesso. Assuma a responsabilidade sobre essa conquista.
2. Direcione seus esforços de modo a conseguir resultados que farão de você um inútil milionário. E tenha pressa de chegar ao topo.
3. Jamais deixe que sua vaidade o impeça de se tornar um Inútil Competente e Relevante.

PEÇA PASSAGEM COM A SUA INUTILIDADE

Chega um momento em sua carreira profissional que você já fez o que era preciso na função que desempenha, já aprendeu o que tinha que ser aprendido e já conquistou resultados que provam que está pronto para seguir adiante, para aceitar o desafio de novas etapas, se lançar a novas conquistas. Quando chega esse ponto, costumo dizer que é hora de você "pedir passagem" para seguir em frente, para enfrentar novos desafios.

Digo também que você precisa "pedir passagem com a sua inutilidade", porque a essa altura você não só já fez o que tinha que fazer, como também já ensinou quem tinha que ensinar e já desenvolveu outros profissionais para serem tão bons em determinadas atividades quanto você, ou até melhores. Em outras palavras, você se tornou um Inútil Competente e Relevante naquela função. E assim conquistou o direito de pedir passagem para avançar na construção de um sucesso ainda maior.

Então, é hora de recomeçar em uma nova etapa da jornada, enfrentar novos e maiores desafios que o farão ter que voltar a aprender, a arriscar, a construir as novas bases que o tornarão ainda maior e mais bem-sucedido.

Quando falo em "pedir passagem", muita gente acha estranho. Afinal, pedir não é algo tão natural quanto pode parecer. Grande parte das pessoas parece ter medo de pedir, seja lá o que for. Confesso que não entendo qual é a dificuldade de pedir algo, uma vez que você tenha certeza do que quer.

É importante levar em conta que, sempre que você deixa de pedir algo com medo do que vem como resposta, é uma oportunidade a menos de viver uma nova versão de possibilidades na sua vida.

O ponto principal aqui é entender que, quando você se torna um Inútil Competente e Relevante, é possível ir para cima de um novo desafio com intenção clara de crescer; é possível colocar o orgulho e os preconceitos de lado, admitir com humildade que tem que voltar a aprender, abrir mão do comodismo e enxergar soluções onde parecia impossível encontrar algo.

Quero agora fazer um alerta: quando você se tornar um Inútil Competente e Relevante, vai perceber que está ocioso, com resultados surpreendentes e alavancados, porém sem estar produzindo ainda mais, como deveria ser. Esse é um momento de grande risco, em que é possível você se acomodar. Isso é sinal de que precisa se mexer para continuar a crescer. É nessa hora, mais do que nunca, que você tem de "pedir passagem" para então seguir avançando na alavancagem dos seus resultados.

Você deve pedir passagem para si mesmo, alertando sua mente de que está na hora de sair da inércia, se livrar do comodismo em que o sucesso conquistado pode tê-lo lançado e, então, ir para cima das novas conquistas, sem ficar de mi-mi-mi, sem arrumar desculpas esfarrapadas.

Depois de pedir passagem para si mesmo, é hora de pedir passagem para quem você precisa que esteja ao seu lado nesse novo compromisso. Precisa fazer um acordo com todos os interessados, porque, afinal, em sua inutilidade competente, você é capaz de utilizar seu tempo e suas expertises a favor de novos projetos que envolvem outras pessoas e, assim, gerar ainda mais resultados para todos.

Entenda, por favor, que pedir passagem é parte natural do projeto de crescimento e de uma vida melhor. Mas é preciso pedir mesmo, para que você possa ter consciência e entender que está pronto para seu novo momento de avanço nas suas conquistas.

Negocie bem com você mesmo e todos os envolvidos, peça e aceite o melhor que sua inutilidade foi capaz de produzir na sua vida e na vida de todos que de alguma forma convivem ou se relacionam com você. E use isso para continuar crescendo e criando novas bases entre seus colaboradores, para que esse crescimento possa ser reproduzido também por eles.

O mais importante é ter sempre em mente que somos nós, com nossas ações e habilidades de superar desafios, que conquistamos um lugar ao sol. Mas é preciso também ter consciência de que o sucesso vem para quem ataca, e não para quem apenas se defende. Quem vai para cima e ataca os desafios certamente segue ao lugar mais alto da montanha do sucesso.

 ALGUMAS DIRETRIZES DA INUTILIDADE COMPETENTE E RELEVANTE

1. Aprenda a pedir passagem com a sua inutilidade e abra novos horizontes para crescer.
2. Negocie bem com você mesmo e com todos os envolvidos, com base no melhor que sua inutilidade foi capaz de produzir.
3. Nunca se deixe acomodar. Tenha consciência de que o sucesso vem para quem ataca, e não para quem apenas se defende.

CADA VEZ MAIS PREPARADO PARA A SAÍDA

Da mesma forma que existe nascimento, vida e morte, manhã, tarde e noite, existe também a preparação para um projeto, a vivência nesse projeto e o encerramento dessa etapa na nossa vida – momento esse em que, quando fazemos o que é preciso, somos catapultados para novos patamares na vida profissional.

Por isso é importante você saber que precisa entrar em alguma empresa ou negócio já pensando em como vai sair. Pensar em sair mais forte, mais experiente e com mais sucesso, porém sem deixar ninguém na mão, como tenho visto acontecer em muitas empresas de vendas.

Há vendedor que não planeja sua saída e, despreparado, quando vê alguns trocados a mais acenando para ele em outra empresa, pede para sair, deixando tudo para trás, jogando tudo para o alto. Isso é burrice.

É crucial que a pessoa entre em uma empresa se preparando para sua saída, planejando seu crescimento com uma evolução que a leve a se tornar uma Inútil Competente e Relevante, e até mesmo estipulando um prazo para que isso aconteça. Sair de uma empresa ou de um negócio como um inútil relevante é a grande chave para transformar sua vida.

Pode ser que leve três, seis ou doze meses, ou mais, para atingir esse patamar. Isso quem vai definir é você, porque é o único que manda nesse jogo. O importante é entender que tudo tem um fim, para que haja sempre um novo recomeço, em um patamar mais alto. É isso que realimenta o nosso propósito e amplia a nossa inutilidade relevante.

Nessa sua preparação, você precisa encontrar profissionais que consigam atender às necessidades do que você planejou e queiram se tornar tão bons quanto você, em termos de conseguir resultados, e que tenham propósitos pelo menos parecidos com os seus.

Você vai precisar preparar as pessoas do seu time e ajudá-las a gerir suas emoções, de maneira que não fraquejem e não acabem atirando tudo para o alto por uma bobagem qualquer. Vai precisar ensinar a elas que o segredo é agir como em uma luta de boxe, cujo vencedor não é quem mais bate, mas sim quem aguenta apanhar sem cair, até o momento de encaixar o golpe certeiro, nocauteando seu oponente.

 ALGUMAS DIRETRIZES DA INUTILIDADE COMPETENTE E RELEVANTE

1. Sempre entre em alguma empresa ou negócio já pensando em como vai sair. Pense em sair mais forte, mais experiente e com mais sucesso.
2. Planeje seu crescimento com uma evolução que o leve a se tornar um Inútil Competente e Relevante e até mesmo estipule um prazo para que isso aconteça.
3. Compreenda que o importante é aceitar que tudo tem um fim, para que haja sempre um novo recomeço, em um patamar mais alto.

PARTE 3

O CAMINHO PARA SE TORNAR UM INÚTIL COMPETENTE E RELEVANTE

Siga a trilha do Inútil Competente e Relevante.
Esse é o caminho para o sucesso verdadeiro,
justo, sólido e duradouro.

CONSIDERAÇÕES SOBRE COMO SE TORNAR UM INÚTIL COMPETENTE

Não posso negar, sempre que falo em inutilidade competente as pessoas se assustam e fazem cara de tacho. Entendo que isso pode até parecer estranho, mas a verdade é que a sua capacidade de se tornar dispensável, mas não dispensado, é o que fará de você um grande *case* de sucesso profissional.

Para sair desse impasse, a primeira coisa é entender que ser um inútil competente é muito diferente de ser um inútil sem proveito.

Quando falo em você se tornar um inútil – e que com isso sua trajetória será mais profícua, muito mais feliz e com resultados extraordinários –, é preciso entender também que você não conseguirá fazer isso sozinho. Você vai precisar contar com a participação efetiva de muita gente do seu time.

E é aqui que já precisamos ter alguns cuidados. Será necessário que você entenda exatamente as suas capacidades e competências e cuide para que elas não sejam conflitantes com as de outros profissionais no ambiente em que você se encontra. Caso contrário, conflitos emocionais podem surgir e gerar uma guerra sem precedentes, pois a vaidade é de longe um dos problemas mais delicados de serem sanados em qualquer grupo de pessoas que se proponham a trabalhar juntas.

Sua verdadeira inutilidade só vai acontecer depois que seus resultados tiverem sido superiores, muito além das médias esperadas em sua atividade ou profissão; e somente depois que você, como um líder de vendas, promover o crescimento de novos líderes no seu time e, com isso, o ambiente em que se encontra ficar pequeno demais para tantos excelentes profissionais que você criou. É nessa hora que a sua inutilidade acontece e lança você na busca de algo mais. Ou seja, a sua capacidade de ser competente gerou uma inutilidade que o levou a patamares muito maiores.

É preciso ter cuidado nesse processo de buscar a inutilidade competente, porque, se você se entusiasmar demais, sem raciocinar sobre o que está fazendo, corre o risco de passar do ponto. Fique alerta, porque, a cada vez que você perceber que está tentando ser bom em tudo, vai ficar bem claro que não está sendo bom em nada. É preciso entender e estabelecer para si mesmo a verdade de que existem coisas em que você não é bom, não é espetacular, nem nunca será – quando muito, no máximo vai ser mediano. Porém, essa visão de clareza sobre suas capacidades e também suas limitações não pode estar sob a ótica da vaidade, mas sim do futuro.

Lembre-se sempre de aproveitar tudo o que aprendeu em sua jornada de transformação para se tornar um Inútil Competente e Relevante. Tenha em mente que, embora o passado vivido não seja certeza de futuro, a experiência pregressa e o aprendizado com os erros cometidos, que naturalmente poderão ser superados e resolvidos, mas nunca desprezados, são a certeza de que você vai acertar mais dali em diante.

Outro ponto que devemos considerar é que grande parte da habilidade que o inútil competente tem de estimular o autodesenvolvimento e também promover o crescimento do seu time vem de levar em conta os seguintes pontos:

- Existe sempre gente melhor que você;
- O futuro trará de volta a pessoa que não foi colaborativa, no momento em que ela precisar de colaboração;
- Para cada momento da vida, existe um perfil de profissional;
- Onde menos se vê a olho nu pode ser onde mais você precisa dar o sangue;
- Dinheiro é apenas uma base para a pessoa propagar quem ela é;
- Foque em ser impulsionado, e não em tirar o lugar de quem está acima de você;
- Use um ciclo de noventa dias para dedicar o máximo que puder a colegas que precisam de sua ajuda para crescer e obter resultados diferenciados;
- Precifique o seu tempo tanto quanto o seu resultado. Seja estratégico;
- Morrer trabalhando é apenas uma questão de escolha, mas ganhar dinheiro sendo inútil é uma questão de competência pregressa.

Finalmente, fica aqui mais outro alerta: quanto mais você entender que precisa de pessoas mais competentes que você para mudar de patamar, melhor para todos. Existem muitas pessoas que farão questão de continuar lutando ao seu lado, porque você sempre contribuiu para o crescimento delas. Caminhando juntos, com certeza você sempre será lembrado como um gerador de *cases* de sucesso. Profissionais que são *cases* de sucesso não são esquecidos e muitas vezes se transformam em estrategistas habilidosos.

ALGUMAS DIRETRIZES DA INUTILIDADE COMPETENTE E RELEVANTE

1. Entenda que a sua capacidade de se tornar dispensável, mas não dispensado, é o que fará de você um grande *case* de sucesso profissional.
2. Tenha em mente que a sua verdadeira inutilidade só vai acontecer depois que seus resultados estiverem muito além das médias esperadas em sua atividade.
3. Cuidado: toda vez que você perceber que está tentando ser bom em tudo, na verdade não estará sendo bom em nada.

AUTOCONHECIMENTO É TUDO

Ninguém o conhece tão bem como você mesmo. Mas será que você tem consciência disso? Muita gente nem se toca de quem realmente é, porque nunca se preocupou em fazer uma avaliação.

Porém, para se tornar um Inútil Competente e Relevante, é preciso trabalhar bem o autoconhecimento. Por isso fiz aqui um rápido questionário, para você começar a olhar para si mesmo e perceber onde precisa investir mais esforços para estimular a sua inutilidade competente.

Então, marque um "x" nos itens que representam você neste momento:

( ) Você se considera esforçado.
( ) Você tem um time forte na sua empresa ou no seu negócio.
( ) Você é disciplinado.
( ) Você tem dificuldade para decidir algo e sempre pergunta a outras pessoas, mesmo que elas na verdade não tenham experiência para ajudar.

( ) Você é procrastinador.
( ) Você tem o hábito de anotar coisas importantes em uma agenda, ou em outro lugar de fácil visualização.
( ) Você gosta de ler.
( ) Sua família apoia suas decisões.
( ) Sua família tem o poder de dar a última palavra nos seus assuntos.
( ) Você usa a sua intuição para tomar decisões importantes.
( ) As pessoas costumam dizer que você trabalha demais.
( ) Você é mesquinho com dinheiro.
( ) Você tem medo de ficar rico e voltar a ficar pobre posteriormente.
( ) Você prefere correr riscos a viver na calmaria.
( ) Você gosta ou pratica esportes de ação.
( ) Você joga xadrez, dama, pôquer ou carteado.
( ) Das quase 10 mil palavras que você fala por dia, a maioria foca em resultados, em fechar vendas ou em encontrar soluções.
( ) Você se sente merecedor de ter 1 milhão de reais na sua conta. Explique a razão da sua resposta.
( ) As pessoas dizem que você é medroso, que lhe falta coragem e arrojo.
( ) O dinheiro que conquistou, independentemente do quanto tenha hoje na sua vida, você pode dizer que o mereceu.
( ) Caso perdesse 30% do dinheiro que tem hoje, isso o atingiria gerando um forte impacto emocional.

Essas questões são apenas para você refletir um pouco e para ajudá-lo a pensar na sua vida e nas suas conquistas. Pense em tudo que está escrito e avalie o que é positivo e o que é negativo. Analise cada uma das suas respostas e perceba onde é que você precisa corrigir o seu rumo para chegar aonde quer.

ALGUMAS DIRETRIZES DA INUTILIDADE COMPETENTE E RELEVANTE

1. Procure conhecer a si mesmo, o melhor que puder. É a partir desse autoconhecimento que você vai ganhar forças para agir da maneira certa para conquistar seus objetivos.
2. Prepare-se cada vez mais, de modo a se tornar capaz de tomar suas próprias decisões considerando o que realmente interessa a você.
3. Aprenda a se sentir merecedor de todos os sonhos que deseja realizar.

FAÇA O QUE TEM DE SER FEITO

Para se tornar um Inútil Competente e Relevante, uma das estratégias mais potentes que existem é você fazer o que tem de ser feito. Esse é um ponto que parece óbvio, mas que sempre é muito delicado. Sim, porque, antes de qualquer coisa, é preciso ter muito claro em sua mente o que é "fazer o que deve ser feito".

É claro que, para fazer aquilo que realmente é necessário, é preciso ter competência, mas isso não para por aí. É preciso ir muito além: fazer o que deve ser feito vai muito ao encontro de você contribuir, direta ou indiretamente, com outras pessoas que não possuem as suas competências no âmbito em que você está, mas que com sua ajuda poderão desenvolvê-las. Dessa forma, sua ação irá acelerar o processo de crescimento dessas pessoas, fazendo com que elas se tornem profissionais mais estruturados a cada dia e a cada circunstância. Assim, você se torna um multiplicador de experiências práticas e de resultados.

Porém, a questão que começa a surgir aqui é que, pela própria natureza humana, esbarramos em nossos medos e acabamos bloqueando nossas ações. É o que eu costumo chamar de "visão de sombra", que nada mais é do que aquele medo que nos persegue, de que possa surgir alguém que venha a nos superar profissionalmente e tomar o nosso lugar.

Isso é uma grande bobagem, pois, quanto mais tempo perdemos com esses medos, menos tempo temos para nos dedicar ao que fazemos e avançar rumo ao sucesso e ao objetivo proposto. Essa atitude de paralisar as ações por medo é o típico "cuspir para cima e continuar embaixo": sem dúvida alguma, vai cair na sua testa.

Quando agimos no "modo sombra", hesitamos em ajudar no crescimento de nossos colegas, com receio de que profissionais treinados e preparados por nós venham a assumir um lugar melhor do que o nosso. Esse medo inibe nossas ações de contribuição e tira a possiblidade de nos tornarmos Inúteis Competentes e Relevantes, já que nos mantêm preocupados com eventuais perdas, e não com o que podemos conquistar por meio da inutilidade competente e relevante.

O que você pode fazer a respeito disso? Pare de achar que contribuir com seu time poderá levar você a perder alguma coisa. Na verdade, contribuir, em médio e longo prazos, somente poderá fazer você ganhar. E, pode ter certeza, seus ganhos serão sempre muito maiores do que aquilo com que você contribuiu para ajudar o time a crescer.

Sempre que falo sobre este assunto, surge a questão: "Se eu ensinar para os outros o que sei, não corro o risco de perder meu emprego? Ou perder espaço dentro da empresa, ou mesmo perder uma promoção para um colega de trabalho?".

Quanto a isso, acredito muito no dito popular: "o que é seu está guardado". E está guardado não porque vai cair do céu, mas porque você mesmo já preparou e guardou. Então, se está tendo sucesso, é porque você plantou isso, mas, se sua vida "tá uma merda", foi você mesmo que fez ficar assim; ninguém tem nada a ver com isso, a não ser você mesmo.

Por isso, quero lhe dizer com todas as palavras: "Pare de besteira". Quando você perceber que perdeu, é porque o caso já estava perdido. Você só fez com que tudo acontecesse mais rápido.

Ainda assim, você pode começar novamente e buscar alternativa melhor para a sua vida. Nem tudo está perdido, essa é a realidade. Sempre é tempo de recomeçar do zero e fazer certo dessa vez. Então, faça o que é preciso, focando sempre na contribuição para o crescimento do seu time.

Outro ponto relevante nessa questão é que muita gente não faz o que tem que ser feito porque tem receio de que pode dar errado. A pessoa deixa que as emoções tomem conta do pensamento, e o receio do impacto negativo que virá pela frente, se falhar, a faz pensar de modo improdutivo, deixando de agir quando é preciso.

Agora, me diga uma coisa: se você tivesse que fazer algo cujo resultado você tem certeza de que será o que espera, você hesitaria? Certamente que não. Não iria nem mesmo pensar muito, simplesmente faria o que tivesse que ser feito. Então, olhe para todas as situações dessa forma. Dê um crédito a você mesmo e aja com confiança.

O sucesso é abundante, seja na sua profissão, seja onde for. Não existe falta de dinheiro ou de oportunidades no mundo, mas sim falta de pessoas que se preparam e constroem alicerces fortes para que o dinheiro e a abundância cheguem até elas da maneira que elas merecem.

Acredito muito na visão do "fazer antes de ter ou de usufruir". Para ter um time forte, que cresça e o ajude a crescer, você tem que contribuir para a evolução de cada um dos *players* desse time.

Pense comigo: se todo professor deixasse de transmitir suas experiências e seus ensinamentos com medo de perder seu emprego, porque talvez surgisse entre os alunos alguém melhor do que ele, em que mundo estaríamos vivendo hoje? Com certeza você se lembra de algum professor que foi um divisor de águas na sua vida. E hoje, quando pensa em um professor ideal para seus filhos, de quem você se lembra?

É preciso fazer o que tem que ser feito, da maneira certa, senão nada acontece. Se você estiver com medo de agir, faça com medo mesmo. É nessa hora que você tem que agir e meter o pé no acelerador, pois a única coisa que cura de verdade o medo é a ação e o entusiasmo, nada mais.

Todo profissional, para alcançar sucesso, deve ter claro em sua mente que tudo precisa ser visto sob a ótica da inutilidade competente e relevante. Quanto mais "inútil" você se tornar, fazendo o que precisa ser feito com relevância e competência, mais patamares estruturados construirá em sua passagem e muito mais sucesso consolidado você terá.

 ALGUMAS DIRETRIZES DA INUTILIDADE COMPETENTE E RELEVANTE

1. Pare de achar que contribuir com seu time poderá fazer você perder alguma coisa. Na verdade, contribuir somente fará você ganhar.
2. Pare de besteira... Seja objetivo: faça a sua parte e foque na contribuição para o crescimento do seu time.
3. Não hesite. Dê um crédito a você mesmo e aja com confiança. Faça tudo com a convicção de que dará certo.

MULTIPLIQUE OS PÃES

A Bíblia é o livro mais lido de todos os tempos. É estimado que mais de 4 bilhões de exemplares já tenham sido impressos. Por isso, também costumo buscar inspiração e conhecimento nessa obra, que está cheia de verdades e ensinamentos que podemos aplicar diariamente em todos os ramos da nossa vida.

Gosto principalmente do trecho da Bíblia que fala da passagem em que Jesus multiplicou pães e peixes, possibilitando alimentar mais de 5 mil homens, mulheres e crianças. Está em Mateus 14:19-21 e diz assim: "E Jesus ordenou que a multidão se assentasse na grama. Tomando os cinco pães e os dois peixes e, olhando para o céu, deu graças e partiu os pães. Em seguida, deu-os aos discípulos, e estes à multidão. Todos comeram e ficaram satisfeitos, e os discípulos recolheram doze cestos cheios de pedaços que sobraram. Os que comeram foram cerca de 5 mil homens, sem contar mulheres e crianças".

Por que gosto especialmente desse trecho do Livro Sagrado? Porque vejo que esse é um dos segredos dos maiores sucessos de que tenho conhecimento. Multiplicar os pães, para mim, na minha profissão, tem o sentido de multiplicar as pessoas capacitadas no mercado de trabalho e no meio empresarial, para que estas se tornem agentes que possibilitem replicar atitudes positivas e multiplicar bons resultados, e assim alimentar novos profissionais com motivação e conhecimento para que possam expandir as atuações de todos e gerar ainda mais resultados. Multiplicar os pães, da forma como entendo, é o que move os grandes feitos e os *cases* de maior sucesso no mundo.

Quando leio na Bíblia a mensagem "multiplique os pães", entendo que devo multiplicar entre as pessoas com quem trabalho tudo o que aprendi e pratico e que me traz sucesso. Dessa maneira, contribuirei para formar profissionais ainda melhores, que inclusive terão condições de me superar no que faço. E isso é bom para todo mundo – é bom para esses profissionais, é bom para a empresa e é bom para os clientes, pelos resultados que entregamos. E, é claro, é bom para mim também, que assim conquisto o direito de "pedir passagem com minha inutilidade adquirida" e me lançar na conquista de novos níveis de sucesso.

Quando você conseguir preparar pelo menos uma mão cheia – cinco dedos, cinco pessoas – de profissionais para replicar suas conquistas de grandes *cases* no seu ambiente de negócios, a ponto de eles fazerem juntos e por si mesmos, sem precisar de sua assistência, tudo o que você os ensinou a fazer, ficará claro que essa é hora de pedir sua passagem para outro patamar.

Talvez você queira agora me perguntar de que jeito se faz isso, como é que você pode preparar seu pessoal para ser até melhor do que você. É muito simples: falando com eles dos erros que já cometeu, mais até do que sobre os seus acertos, e de como os corrigiu e aproveitou os aprendizados que vieram desses erros. Além disso, deixando que eles observem o que você faz, usando o seu exemplo para se inspirar e construir suas próprias maneiras de agir profissionalmente.

Também é importante ajudar seu time a perceber que não existe problema de que a gente não tire aprendizado; sempre são experiências que, no final, acabam melhorando nossos resultados. Sejam esses resultados negativos ou positivos, tudo serve para o nosso fortalecimento, para ampliar nossas habilidades no enfrentamento de novas situações que surgirão na vida.

Outro ponto que acho crucial incentivar seu pessoal a levar em conta é que não será apenas no trabalho do dia a dia que a magia do sucesso vai acontecer. Ela também estará em seminários que você deverá promover com seu time de trabalho, em cursos que servirão para contribuir mais com eles, em mentorias personalizadas com cada um e tantos outros meios possíveis para passar informação, experiência e segurança a quem trabalha com você.

Ao compartilhar seus conhecimentos e sua experiência, você estará, na verdade, se antecipando e prevendo os caminhos que virão pela frente, trabalhando com seu time traçando resultados e visualizando perdas e ganhos de maneira clara e aberta para todos, de modo que possam sempre estar preparados para o que virá.

Gosto muito também de falar para as pessoas que o horário normal de trabalho serve apenas para "comer o arroz e feijão", mas que após o apagar das luzes é que a magia do sucesso acontece no mundo dos grandes negócios. Não é somente cumprindo uma jornada diária das 8 às 18 horas que sua vida vai mudar; o mais impactante é o quanto você se empenha e quão intenso você é dentro desse horário e, principalmente, o quanto se dedica ao seu negócio fora desse horário. É isso que fará a diferença. Não estou aqui falando que você tem que ser um maníaco por trabalho, mas precisa ser sempre alguém ativo e atento, alguém que já está com o pé no acelerador quando o sinal ainda está vermelho, apenas esperando o sinal verde para dar a arrancada.

Para multiplicar os pães e matar a fome de sucesso de todo mundo no seu time, é necessário deixar claro para todos que cada um tem que ir para cima daquilo que deseja conquistar, tem que assumir o que é seu, tomar as melhores decisões, correr os riscos necessários, encarregar-se de maiores responsabilidades, agir com mais intensidade e regularidade e, assim, conquistar mais resultados. Cada jogador do seu time tem que, assim como você, batalhar para também se tornar um Inútil Competente e Relevante e dar continuidade ao próprio crescimento e à alavancagem da própria carreira profissional, favorecendo o fortalecimento do time como um todo e contribuindo para o crescimento da empresa em que trabalha.

Também aconselho que os que buscam o sucesso de maneira séria e responsável procurem conviver com profissionais e empreendedores que já conseguiram uma grande dose de sucesso e possuem grandes ideias e objetivos próximos aos seus. Assim, esses profissionais se tornarão um tipo de inspiração para ajudar a potencializar os resultados pretendidos. Melhor ainda será se você se transformar nessa pessoa que é fonte de inspiração para o seu time.

Acho isso muito bom, mas mesmo assim quero alertar aqui que é preciso estar disposto a fazer a sua parte do trabalho, para replicar um sucesso parecido com o desses empresários. Não adianta só se aproximar dos vencedores, mas não somar sua contribuição ao time.

Por fim, sugiro que você procure sempre valorizar o seu pessoal e criar com eles times fortes, bem entrosados, com muito potencial e que tragam resultados excelentes para todos. Ser justo, compreensivo e motivador auxilia muito na construção de um time poderoso.

Partindo agora para a prática do que estamos conversando, recomendo que você pense em cinco pessoas do seu ambiente de trabalho, as quais você tem a certeza de que juntas farão um trabalho espetacular quando receberem de você toda a sua atenção, orientação e mentoria. Olhe para esse grupo com um carinho especial e comece com essas pessoas a estruturar as condições para que você se torne, muito em breve, um Inútil Competente e Relevante. Feito isso, você estará um passo mais perto do sucesso sem limites.

ALGUMAS DIRETRIZES DA INUTILIDADE COMPETENTE E RELEVANTE

1. Multiplique seus conhecimentos e construa a sua experiência para então dividir com as pessoas com quem você trabalha. Essa é a premissa básica do seu sucesso.
2. Multiplique os pães. Prepare o maior número possível de pessoas para que sejam capazes de assumir o seu lugar. Assim, você se torna livre para investir no seu próprio crescimento.
3. Não se limite a fazer apenas o suficiente para poder "comer o arroz e feijão". Trabalhe mesmo depois do apagar das luzes e conquiste a magia do sucesso.

APRENDA A LIDAR COM A FORÇA DO EGO

Para se tornar um Inútil Competente e Relevante, antes aprenda a lidar com a força do seu ego, seja ela positiva ou negativa, e entenda como seu "EGODRIVE" funciona. Todos temos que conviver e nos relacionar com o nosso ego, muitas vezes exagerado; não temos como fugir disso. A questão é o que fazer com o nosso ego a cada momento, seja em uma tendência positiva ou negativa.

A cobrança do dia a dia faz com que cada um queira sempre ser o melhor, e isso mexe diretamente com o ego. Consequentemente, muitas vezes isso prejudica os planos. Tenho amigos que deixaram o ego matar seus projetos e objetivos, antes mesmo de eles visualizarem o quanto seus empreendimentos eram relevantes.

É preciso entender que o ego pode até matá-lo, se você deixar. Mas ele precisa existir, ele tem sua função – nunca vi alguém com "zero de ego" que chegasse a lugar algum. A verdade é que o seu ego pode também ser muito útil para você se tornar um Inútil Competente e Relevante, dependendo de como você lida com ele.

Os melhores profissionais, aqueles que têm mais sucesso, entendem perfeitamente que o ego precisa ser controlado. O ego não vai deixar de existir nunca, por isso dominar e dirigir o seu ego é o que vai nortear seus resultados. Isso é o que eu chamo de EGODRIVE.

O que tenho experimentado e observado no dia a dia é se a pessoa tiver um alto nível de ego, mas com controle e direção, essa é uma situação positiva, favorável a ela. Com o seu EGODRIVE atuante, ela passa a sentir que tem poder de decisão e ação, e isso faz com que tenha mais ousadia e foco no que interessa, sem desperdiçar tempo nem recursos em coisas que não têm tanta importância.

A pessoa com EGODRIVE positivo é mais inflada e não aceita perder; por isso mesmo, fará tudo que pode e buscará alternativas para não ser vista como fraca em seus resultados. Seu impulso por meio do estímulo emocional é a sua base de apoio e a força que demonstra para ousar até fazer acontecer o que busca, para que o sucesso aconteça, mesmo que pague o preço de uma dor maior.

Já a pessoa com EGODRIVE negativo não costuma ousar, porque tem medo de falhar e acredita que isso afetaria sua moral e provocaria uma baixa no seu ego e em sua autoestima. A partir desse entendimento, ela não produz resultados diferenciados. Por medo de errar, entra naquele caso típico de quem prefere o certo ao duvidoso, mesmo que o incerto possa vir a gerar resultados muito maiores e mais lucrativos, o que é próprio de um Inútil Competente e Relevante.

Um time de vendas com alto EGODRIVE – grande controle e direcionamento do ego – tem maior probabilidade de errar muito mais do que aquele com baixo EGODRIVE, pois este não tem controle nem direção sobre suas ações. É o time que bate na mesa e se acha o melhor, sabendo do controle que possui sobre o que fazer e o que não fazer, que terá mais resultados, com base na ousadia responsável – sim, porque é preciso ousar, embora por vezes seja preciso também ter certos cuidados.

Falo muito na necessidade e nas vantagens de entender e usar a seu favor a força do seu ego. A realidade é que, se o seu ego o dominar, você perde o jogo. Mas se usar o ego para o apoiar, você vai saber o que falar, o que fazer, o que decidir, de modo a favorecer todas as suas lutas para conquistar o sucesso.

Infelizmente, muitas pessoas preferem ser vistas como "a última bolacha do pacote", tentando parecer importantes, sem perceber que isso poderá levá-las à morte, porque serão consumidas e não terão onde se apoiar. O melhor é ser aquela bolacha do meio do pacote, que vai ver muita coisa ocorrer à sua volta e aprender com tudo isso, para ter mais sucesso no futuro.

Acontece que a gente nem sempre se posiciona de maneira correta em determinadas situações, deixando que nosso ego nos leve a ter a sensação de que estamos nos saindo bem, quando na verdade estamos nos prejudicando. Por exemplo, nem sempre estar em destaque é uma vantagem.

Pensando nessa linha, aconselho que você prefira sempre estar à frente do que *na frente*. Pode parecer a mesma coisa, mas existe uma diferença enorme na forma como o seu ego atua em cada caso – e também nos resultados que você consegue.

Estar *à frente* significa encabeçar algo a ser feito, ou conduzir as pessoas e os processos para realizar algum objetivo. Nesse caso, o seu ego está positivo, funcionando a seu favor, trabalhando para que você se torne um destaque pelos próprios méritos.

Já estar *na frente* significa que você é somente mais um na fila, em uma posição mais adiantada, o que pode não significar nada. Ser só mais um na fila, na frente, pode significar até mesmo que você esteja atrapalhando o caminho de quem quer progredir. Nesse caso, seu ego está funcionando no negativo, trabalhando contra você, querendo apenas aparecer, ser visto. E ser visto, ser notado, quando você não está fazendo o seu melhor, é a pior das situações.

É importante que a cada dia o poder do EGODRIVE seja usado para gerir nossas emoções e lidar com nosso ego de maneira inteligente. Em outras palavras, precisamos usar nossa inteligência emocional para nos colocarmos à frente – e nunca *na frente* – do nosso mercado ou da nossa trajetória de vida, ou ainda de algum projeto em equipe.

Para concluir esta visão, ressalto que é preciso compreender que o ego negativo também tem recursos para ajudar você a desenvolver mais poder sobre si mesmo. Por meio dele é possível identificar quando estamos tendo atitudes de alguém apenas útil momentaneamente, sem projeto, sem legado e sem futuro promissor e assim nos alertarmos para, no tempo certo, voltarmos ao caminho que nos levará a ser alguém Inútil, Competente e Relevante.

O ego negativo contribui para que a pessoa continue por um tempo a mais "dentro da caixinha", até que ela finalmente tenha estômago suficiente para ousar. Desse modo, vai ajudá-la a ter atitudes mais "pé no chão", sem arriscar demais na incerteza.

Pessoas que têm o ego negativo serão vistas muitas vezes como aquelas que não farão nada além da conta, mas farão o básico necessário, o que também pode ser bastante proveitoso – tudo vai depender do tipo de empresa em que trabalha e do líder no controle de tudo.

Quando lidamos com nosso ego, é preciso colocar o orgulho e a vaidade de lado, não deixando que isso se torne uma arma contra nós mesmos. Quando deixamos nosso ego falar mais alto, sem usar o nosso EGODRIVE, não nos dispomos a buscar a ajuda adequada para realizar nossos objetivos.

Com humildade e determinação, podemos encontrar a melhor forma de fazer com que haja mais união das pessoas em torno de um objetivo, pois é possível fazer com que cada uma delas se sinta mais importante ao integrar projeto, entendendo que está participando de algo que também vai melhorar sua vida e que ela é respeitada. Isso resulta em maiores ganhos e mais satisfação para todos.

ALGUMAS DIRETRIZES DA INUTILIDADE COMPETENTE E RELEVANTE

1. Domine e dirija o seu ego. Acione seu EGODRIVE. É isso que vai nortear suas ações e alavancar seus resultados.
2. Assuma a sua coragem de arriscar. Jamais prefira o certo ao duvidoso, em especial quando você tem conhecimento sobre o que fazer e como vai atuar, quando possui as devidas "manhas" para o sucesso do negócio. É o incerto que costuma gerar resultados muito maiores e mais lucrativos e levar você a se tornar de fato um Inútil Competente e Relevante.
3. Prefira sempre estar à frente nas batalhas de que participa. Seja líder em todos os processos para realizar algum objetivo.

ZONA DE ALTO DESEMPENHO

Entenda bem como funciona a sua zona de alto desempenho. Esse é um assunto bem delicado, pois nem sempre nos deparamos com a visão exata de onde temos mais resultado durante nosso dia de trabalho. É importante termos percepções sobre o nosso desempenho, com base em práticas do dia a dia.

Toda vez que estamos em um projeto ou em uma atividade, é crucial avaliar se estamos em nossa zona de alta performance – por exemplo, uma corrida de cem metros ou de alto desempenho, como uma maratona – e se estamos usando nosso potencial de forma positiva.

Muitas vezes, temos ótimas possibilidades de nos darmos bem em uma negociação, mas, se estamos em nossa zona de baixo desempenho, isso acaba promovendo certa fragilidade em nossa capacidade de obter bons resultados, de modo que não conseguimos maximizá-los.

Para ajudar você a pensar um pouco mais nesse assunto, sugiro que responda por escrito às questões a seguir:

- Como está programado o seu tempo durante o dia, para o fechamento de oportunidades? Existe algum momento específico em que você se dedica a isso, ou deixa tudo na base do "Vamo que vamo... Na hora que for tá tudo certo"?
- Em qual momento do dia você se sente mais sonolento ou cansado? Preste muita atenção a isso, pois esse não é o momento certo para você tentar fechar algum negócio. Você está em uma zona de baixo desempenho. Aproveite esse período para revisar *e-mails*, fazer alguma rotina administrativa necessária, ou mesmo falar com seu time sobre algo que não exija muita intensidade.
- Ultimamente, qual é o momento que você tem utilizado para abertura de novos clientes ou para fazer prospecções? Isso é compatível com sua rotina?
- Que momentos você vem usando para preparar seu time? É importante você ter isso bem claro para conseguir maior eficiência, tanto sua quanto do seu time, e obter melhores resultados. Nunca faça essa atividade em horários que estejam em uma zona de abertura de negócios. Por exemplo, muitas vezes é antes de o dia pegar fogo que temos o melhor horário para abrir clientes mais robustos, pois podemos evitar que eles estejam em zona de estresse. Portanto, avalie os momentos mais interessantes para preparar o seu time, com base em sua experiência e em horários que sejam compatíveis com o contato com os clientes.
- Você costuma responder *e-mails* durante o dia, assim que os recebe? Então saiba que terá problemas de desempenho, pois isso atrapalha o seu foco. Entenda que nada é tão relevante que tenha que ser respondido imediatamente – só em casos de vida ou morte, você pode abrir uma exceção, mas mesmo assim existem casos em que pouco você vai poder fazer para ajudar a pessoa. Deixe para abrir e responder sua correspondência em um determinado momento do dia que você reservar para isso. Essa é uma premissa que uso para evitar que essas interferências me coloquem em zona de baixa produtividade.

- Você se sente mais confiante após fazer exercícios pela manhã? Então aproveite para fazer reunião com seu time de trabalho logo cedo, quando ainda está no ápice da endorfina ou da dopamina. É uma boa forma de utilizar a zona de alto desempenho. Depois disso, dedique-se a trabalhar em novos negócios ou na abertura de novas portas. A confiança que você terá consigo removerá objeções com maior facilidade.
- Em qual momento você se sente mais confiante no dia? Quando acorda ou quando está encerrando suas atividades, mais ao fim do dia, com o dever cumprido? Avalie isso e use esses momentos a seu favor – por exemplo, seria relevante usar esse horário para marcar um café ou um jantar com um possível cliente relevante.

Esses são apenas alguns pontos que precisam ser pensados e avaliados, se você quer se tornar um Inútil Competente e Relevante.

O segredo está em nunca ocupar sua zona de alto desempenho para executar rotinas estruturadas para tarefas administrativas do seu negócio. Para isso, utilize sua zona de baixo desempenho, e assim você irá aproveitar melhor o seu tempo mais produtivo.

Avalie sempre: o dia se divide em manhã, tarde, noite ou madrugada. E cada um desses períodos remete a determinada atividade que se adequa mais a ele. Então, entenda que você precisa:

- Suprir a sua rotina;
- Abrir mercados e oportunidades e, para isso, tem que estar no ápice do seu desempenho;
- Criar ou gerir sua imaginação;
- Administrar o seu negócio;
- Treinar e dar suporte para o seu time;
- Compartilhar seus ensinamentos e ajudar seu time a replicar com estímulo aguçado o seu trabalho.

Para cada coisa existe um tempo mais adequado. Cuide disso e use bem a sua zona de alto desempenho. Esse é o melhor caminho para você se tornar um Inútil Competente e Relevante.

Resumindo, vá por mim e deixe de desperdiçar tempo bom em negócio ou trabalho ruim. Essa é a grande verdade por trás do sucesso verdadeiro.

 ALGUMAS DIRETRIZES DA INUTILIDADE COMPETENTE E RELEVANTE

1. Sempre que você tiver um projeto ou uma atividade importante, procure programá-los para um período em que você esteja em sua zona de alto desempenho.
2. Preste muita atenção a isto: saiba qual é o momento do dia em que você se sente mais sonolento ou cansado. E nunca use esses períodos para realizar coisas importantes para o seu negócio.
3. Entenda e aplique no seu dia a dia: nunca desperdice tempo bom em negócio ou trabalho ruim.

SUPERE A PERDA DO CARGO POSITIVAMENTE

Muita gente tem medo de perder o cargo em que está, ou a posição confortável em que se encontra na empresa, de tal maneira que muitas vezes nem mesmo arrisca voar mais alto ou tentar se destacar para se candidatar a cargos em novos patamares. O medo de perder o lugar onde está acaba inibindo sua iniciativa, e a pessoa não progride.

É preciso superar a perda do cargo positivamente, para dar-se a chance de mudar de patamar. Perder, muitas vezes, é ganhar. Na verdade, você só perde realmente aquilo que nunca foi para ser seu.

Quando você entende que aquilo que se foi era mesmo para ter ido, para de se lamentar e começa a se preocupar com coisas mais relevantes, como construir relacionamentos sólidos em seu projeto profissional.

Também acredito que, para que coisas novas cheguem na nossa vida, é preciso que as velhas vão embora. Quando a gente perde algo, um espaço é aberto para ser preenchido por novas coisas.

Portanto, com o tempo aprendi que mudar de patamar é sempre sinônimo de perder algo que se tem, mas que isso deve ser visto de forma positiva. Gosto muito de falar que, quando sou roubado ou perco algo, é porque algo maravilhoso vai aparecer para mim. Assim, fico feliz pelo que me aconteceu, porque minha mente e minha visão me permitem olhar para coisas que até então eu não tinha percebido. Essa é a dinâmica da nossa vida. Veja alguns exemplos:

- Se você se separou, é provável que tenha encontrado ou venha a encontrar outro amor;
- Se você mudou de emprego, negócio ou carreira, é provável que tenha aprendido mais e resolvido abrir novas frentes para crescer;
- Se você trocou um bem por outro, possivelmente abriu mão do que tinha para conquistar algo melhor;
- Se você perdeu uma amizade, com certeza abriu as portas para outros amigos mais sinceros se aproximarem;
- Se você investiu errado, é muito provável que tenha perdido um pouco do que possuía em troca de um bom aprendizado;
- Se você foi demitido, é sinal de que naquele emprego não teria o futuro que deseja;
- Se tomou um fora de um parceiro, é sinal de que precisa reavaliar suas ações e corrigir algo em seu modo de ser e agir;
- Se sentiu a perda de um familiar, com certeza abriu espaço para valorizar mais o legado que ele deixou.

A cada percepção que temos de que perder é ganhar, podemos entender que esse movimento da vida é algo poderoso e nos levará a outros momentos de glória, favorecendo sempre o caminho para nos tornarmos inúteis competentes e relevantes.

É importante ter essa consciência de que em tudo que se perde tem algo positivo, mesmo que seja nas situações mais dolorosas. O que não pode acontecer é abandonarmos os nossos sonhos, devido a uma fraqueza diante das adversidades.

Quando falamos em inutilidade competente, estamos falando da existência de princípios que nos fazem enxergar mais longe, mesmo em uma visão noturna, mesmo diante das dificuldades. Afinal, enxergar à luz do dia é para todos, mas continuar vendo mesmo sem luz requer a experiência de uma vida pregressa baseada em princípios de sabedoria e uma determinação firme que somente um Inútil Competente e Relevante possui.

Enfim, para dar os próximos passos e evoluir, é preciso ter a coragem de abandonar o cargo que você tem hoje, para se candidatar a cargos e posições maiores. O que você não pode fazer jamais é abandonar seus sonhos por medo de perder o que já conquistou. Se você não seguir os seus objetivos na vida, quem vai fazer isso por você?

 ALGUMAS DIRETRIZES DA INUTILIDADE COMPETENTE E RELEVANTE

1. Fique alerta contra o medo de perder o lugar onde está, pois isso acaba inibindo sua inciativa, e assim você não progride.
2. Tenha sempre em mente que, quando você perde algo, um espaço é aberto para ser preenchido por novas coisas que virão para a sua vida.
3. Entenda que perdas e ganhos vão acontecer na sua vida. O que você não pode fazer é abandonar os seus sonhos devido a uma fraqueza diante das adversidades.

UMA MÃO LAVA A OUTRA

Uma verdade que já comprovei muito em minha vida é que ninguém faz nada sozinho. Sempre é preciso ter união das pessoas para atingir algum objetivo. Mas essa é uma via de mão dupla: hoje você ajuda, amanhã será ajudado. Uma mão lava a outra, como eu sempre digo. Esse é um ponto relevante, que merece toda a nossa atenção.

Se você pensar um pouco, perceberá que é bem óbvio que não é possível fazer tudo sozinho. Sempre vai ter alguma parte em que você vai precisar da ajuda de alguém. Ainda mais se desejar se tornar um Inútil Competente e Relevante.

Querer fazer tudo sozinho é o mesmo que assinar um atestado de incompetência. Se insistir nisso, você vai morrer à mingua, solitário, pobre e se achando o melhor de todos os homens nesta vida de oportunidades, mas sem ter resultados que comprovem essa sua vontade de se mostrar superior a todos.

Eu sei que muita coisa se mostra difícil de fazer em conjunto, principalmente quando precisamos confiar nos outros. Eu mesmo já nasci desconfiado e até me olhava no espelho em dúvida, pensando se aquela imagem era mesmo minha. Mas a realidade me fez entender que trocas, acordos e colaborações são as bases do sucesso.

A cada dia que passa, torna-se mais necessário avaliarmos como estão nossos relacionamentos e procurarmos nos aperfeiçoar na arte de conviver com as pessoas. Uma vez que nós, seres humanos, somos gregários, precisamos usar isso a nosso favor, para crescermos e ajudarmos outros a crescerem. Somos frutos do meio em que vivemos e devemos somar nossa força com a de outras pessoas, para que todos possam evoluir e progredir.

Pois bem, já que necessitamos viver em sociedade e dependemos uns dos outros para atingir o ápice do nosso desenvolvimento e sucesso, existem algumas coisas que considero como bases para os nossos relacionamentos. Acompanhe na listagem a seguir:

- Você pode ser bom sozinho, mas poderá ser espetacular com alguém lhe mostrando caminhos que você ainda não viu;
- A cada contato com alguma pessoa, avalie antes como você pode contribuir, para que em algum momento possa haver uma troca de interesses e a formação de parceria;
- Nunca se esqueça de pensar em que área você tem fragilidade, para então buscar profissionais melhores que você para suprir essa sua deficiência. Lembre-se sempre que é exatamente para isso que existem as profissões complementares;
- Você nunca será espetacular em algo em que é ruim. No máximo será mediano ou, no bom português, um medíocre. Por isso, seja humilde e saiba buscar suporte nas áreas em que você não é bom;
- A visão do tempo se expande e se torna positiva com várias mãos produzindo para um único ideal. Em um dia, as mesmas 24 horas podem se transformar em 48, ou 72, ou 96 ou mais horas de produtividade.

☛ Concentre-se apenas no que precisa ser feito, sem querer dar conta de tudo ao mesmo tempo. Delegue o que for necessário, mas sem "delargar" a seus parceiros ou sócios.

Não tenha dúvida: uma mão lava a outra. Diante disso, aceite que precisará de mais pessoas contribuindo para o sucesso dos seus projetos. Caso contrário, você somente será um útil descartável em algum momento da sua vida. Trabalhe no sentido de se tornar um verdadeiro Inútil Competente e Relevante, aceitando construir uma base sólida, com serenidade e simplicidade, envolvendo todas as pessoas do seu time.

 ALGUMAS DIRETRIZES DA INUTILIDADE COMPETENTE E RELEVANTE

1. Avalie constantemente como estão seus relacionamentos e procure se aperfeiçoar na arte de conviver com as pessoas.
2. Esteja sempre pronto para somar sua força com a de outras pessoas, para que todos possam evoluir e progredir.
3. Compreenda: todos dependemos uns dos outros para atingir o ápice do nosso desenvolvimento e sucesso.

REPLICAR EM TIME DE VENDAS

Vou falar um pouco sobre como uso minha experiência prática e direta para formar times de vendas que são alavancados, na maioria das vezes, com menos esforço do que a maioria das pessoas costuma despender para crescer.

Logo de cara, quero deixar aqui uma dica bem simples: promover a réplica em **equipes** de vendas é muito mais fácil do que em **times** de vendas. Nunca se esqueça disso.

Aqui neste livro estamos falando de "time", e não somente de "equipe". Mas qual é a diferença entre time e equipe? Vou repetir aqui o que eu falo sempre e também já deixei registrado no meu livro *Gooo up*[*]:

---

[*] *Gooo Up – aprenda o método infalível de como resolver problemas, conquistar qualquer objetivo e crescer acima de todas as expectativas*, disponível em: https://www.albertovendas.com/livros.

Quando você fala de futebol, por exemplo, é muito melhor dizer time do que equipe. Porque em um time cada um tem uma posição em que é melhor e é ali que ele joga, que rende mais, de maneira a proporcionar os resultados mais vantajosos para o time.

Quando você fala em equipe, dá uma ideia de que todos estão juntos, unidos em um grupo, mas não necessariamente fazendo o seu melhor e complementando o que os outros estão fazendo. Equipe pode até mesmo dar uma ideia de um monte de gente em um lugar, se debatendo, sem que cada um esteja fazendo aquilo que realmente vai contribuir para o resultado final.

Quando falamos de time, estamos falando de pessoas que trabalham juntas em perfeita sinergia, cada uma dando o seu melhor naquilo em que é realmente boa, de tal forma que o resultado final é sempre muito maior do que a simples soma dos resultados de cada um.

Pois bem, dito isso, vou relacionar aqui uma série de conselhos de procedimentos e posturas, conhecimentos que adquiri com a prática de muitos anos de trabalho na área de vendas, construindo times de alta performance e com grande potencial de alavancagem.

A primeira coisa a se entender é que você precisa ter como base de seus procedimentos as avaliações periódicas:

- Avaliações diárias;
- Avaliações semanais;
- Avaliações mensais;
- Avaliações trimestrais, semestrais e anuais, usando como base as avaliações mensais anteriores.

Com uma base de dados confiáveis sobre nosso time, podemos prosseguir no direcionamento de nossas ações para a construção de profissionais que também venham a se tornar Inúteis Relevantes e Competentes.

Quando se fala em montagem de um time de vendas, a premissa básica de todo o processo de avaliação e de réplica em times de vendas de sucesso é que tenhamos um líder Inútil, Competente e Relevante, com muita experiência prática, e não apenas teórica, sobre o produto ou serviço que está sendo vendido. Sem essa experiência do líder, fica tudo meio que naquela história do "faça o que eu digo, mas não o que eu fiz, porque eu não fiz e não faço".

A prática gera naturalmente a potencialidade para encurtar os caminhos e escolher entre os ruins e os bons. Sem isso o tempo de montagem do time aumenta, o risco de perda de dinheiro cresce, as demissões acontecem com mais frequência, e o respeito pelo líder se torna frágil – e sem esse respeito nunca será possível conquistar uma inutilidade competente e relevante.

Outro ponto a ser avaliado é que, sem um acompanhamento diário, não é possível validar o time. Somente quando você tem dados do dia a dia é possível observar os valores significativos no seu time. Quanto mais você entende as médias móveis do seu time, mais consegue avaliar a consistência do seu trabalho.

Saber lidar com as turbulências é outro requisito básico do líder Inútil, Competente e Relevante. Ele sabe que o segredo do equilíbrio é o desequilíbrio ordenado, ou seja, que é perfeitamente possível navegar em um mar com ondas fortes, mas constantes e dentro de certos limites, mas que, se tivermos extremos, como um maremoto ou um tsunâmi, a coisa se complica. Então é preciso procurar manter as oscilações controladas, de forma a administrar as variações de maneira ágil e eficaz.

É importante entender que as avaliações semanais tendem a mostrar resultados que são as médias dos últimos noventa ou 120 dias, pois nada se mantém consistente por muito tempo sem que, para isso, exista coerência no processo. Você pode até ter grandes resultados rápidos, mas não serão consistentes se sua liderança não estiver baseada em VRCC: Velocidade, Repetição, Coerência e Consistência.

Ao longo de minha carreira, tive as mais variadas experiências, com produtos completamente diferentes, como seguros de vida de porta em porta, vendas de enciclopédias, purificador de água, Baú da Felicidade e Bíblia, por exemplo. Isso quer dizer que juntei tudo que me permitiu errar e acertar e tracei uma estratégia que me levou a chegar onde me encontro hoje no mundo dos negócios.

Enfim, consegui definir, com um grande grau de acerto e precisão, qual é a melhor forma de liderar e que tamanho de time é preciso inicialmente para que depois você tenha a experiência de crescer de forma consistente e alinhada. De tudo o que aprendi, selecionei especialmente alguns conselhos para deixar como pontos de referência para você, que quer construir times poderosos e se tornar um Inútil Competente e Relevante. Acompanhe a seguir.

1. Minha sugestão é que tenha um líder para cada oito liderados. Acredito que "quanto mais longe da base do telefone sem fio, pior fica a ligação", ou seja, o líder precisa ter uma conexão próxima com seu time, manter conversas diretas e assegurar um alinhamento individual no campo e na estratégia.
2. Todo líder deve estabelecer um dia da semana para fazer reuniões de ajustes com seu time. Sugiro que seja na segunda-feira, porque o time já sai fervendo para o ciclo de atividades da semana. Além disso, o líder deve passar um período do dia (manhã ou tarde) em campo, com um de seus liderados. Portanto, temos quatro dias na semana, com dois turnos por dia e, assim, o líder consegue estar com todos do seu time durante a semana. Ou seja, ele tem quatro contatos diretos com cada um do time por mês, o que é algo excelente.
3. É claro que existem líderes capazes de acomodar muito mais gente em seu time. Isso é interessante, mas esse líder vai ter que entender algumas coisas a mais, antes de tomar qualquer atitude mais ousada nesse sentido.

Por exemplo, no ápice do meu modelo de atuação, eu tive dezesseis líderes diretos, 32 supervisores e 32 "olheiros". Sim, porque somente assim foi possível, depois de muita experiência, compreender que um líder para oito pessoas com experiência pode virar um para dezesseis desde que se tenha um supervisor. Com o time crescendo, você passa a ficar mais distante dos seus liderados. E, para encurtar a distância, é preciso que haja supervisores. O passo seguinte é ter olheiros, ou seja, é necessário que haja no time pessoas que sejam o seu braço direito por um tempo preestabelecido, com o trabalho de olhar por você como andam as coisas no time.

Quanto mais longe você está, mais precisa estar alinhado com o time. O "olheiro" serve exatamente para lhe dar o norte, para você poder acompanhar o panorama na linha de frente do seu time.

Dessa forma, você fica sabendo de tudo como se fosse algo divino, como se estivesse onipresente, mas na verdade são esses "olheiros" que dão a você essa onisciência. A partir disso, você consegue criar alavancas para o seu time de modo mais rápido e favorecer o crescimento de todos no menor tempo possível.

4. Resultado e comportamento têm que andar juntos no seu time. Não adianta ter excelentes profissionais com ótimos resultados, mas com comportamento fraco, ruim ou desrespeitoso. E também não adianta apresentar um comportamento excepcional e resultados abaixo do mínimo viável, ou, como eu costumo dizer, abaixo do MRP – Mínimo Resultado Permitido para a manutenção do profissional.

A grande fórmula que uso para esses casos é: "Ou treina ou troca". Se o profissional está precisando de preparação, você o treina. Se o resultado não vem e o comportamento é ruim, você troca de profissional. Treina ou troca! Simples assim. Não adianta querer fazer tartaruga voar. Você pode até tentar ajudar um colaborador seu a decolar, mas não perca muito tempo com isso. É preciso entender na essência a realidade de seus colaboradores, para dar um destino certo para cada um.

5. Quanto mais base de aproximação você tem com os seus colaboradores, maior a facilidade de manter uma relação colaborativa, o que costumo dizer que é uma possibilidade de ajuste, antes do desligamento do profissional.

Utilize sempre a seu favor as conversas de corredor entre você e seus liderados e nunca queira tirar, em uma conversa séria com um colaborador, tudo o que precisa de informação sobre ele. Normalmente essa situação bloqueia o profissional, que acaba escondendo dados importantes, pois imagina que você vai querer "dar o bote" nele, então se retrai.

É importante entender um pouco sobre esses aspectos de liderança e observar na prática o que acontece no dia a dia de seus colaboradores, para que você possa administrar melhor o seu time e conseguir com ele os melhores resultados.

Nos meus times de vendas, considero esses aspectos como primordiais para eu contratar os profissionais, principalmente os de alta alavancagem, bem como para corrigir alguns desvios que possam estar acontecendo no desempenho do meu time.

Pode ter certeza: se você cuidar para que seus times repliquem as boas coisas de uma liderança inútil e competente, não só você chegará mais rapidamente a ser um Inútil Competente e Relevante, como também ajudará muitos dos seus colaboradores a chegarem lá. E isso vai consolidar o seu sucesso.

 ALGUMAS DIRETRIZES DA INUTILIDADE COMPETENTE E RELEVANTE

1. Fique atento: somente com um acompanhamento diário, em que você tem os dados do dia a dia, é possível validar o seu time.
2. Aprenda a lidar com as turbulências, para se tornar um líder Inútil, Competente e Relevante. O segredo do equilíbrio é o desequilíbrio ordenado.
3. Defina, com o maior grau de acerto e precisão possível, que tamanho deve ter o seu time e qual é a melhor forma de liderá-lo.

LÍDER ÚTIL É O LÍDER INÚTIL

Parece uma contradição, mas é isso mesmo que você leu. Quanto mais o líder se tornar um Inútil Competente e Relevante, mais útil ele será para os objetivos do seu negócio. Quanto mais existirem líderes inúteis competentes em sua empresa, mais rapidamente ela vai crescer.

Existem alguns pontos a serem considerados quando falamos em liderança, e quero compartilhá-los com você.

Em primeiro lugar, para um líder se tornar inútil, tem que gerar atração suficiente a fim de que o time produza muito e com frequência. Esses resultados não podem ser inferiores ao que o próprio líder produzia na prática, antes de se tornar um Inútil Competente e Relevante. Sempre digo que essa é uma mágica difícil de conseguir, mas o líder precisa fazê-la acontecer a cada dia. Essa é uma atividade essencial – e que nunca termina – para você alcançar degraus maiores de conversão e de resultados.

Outro ponto relevante, e um dos mais delicados em times de vendas, é que fica muito difícil a liderança ser inútil por muito tempo, sem que outro líder assuma seu lugar de forma mais conectada com seus colaboradores. Nesse sentido, vale ressaltar algumas coisas que fazem a liderança deixar de se tornar inútil e competente:

- A troca do time de vendas, ou ter de fazer todo o processo de recrutamento e seleção do zero, no meio do trabalho de um novo líder;
- Ter um time descrente e sem preparação para receber o líder que será inserido, sem ter sido construído naquele ambiente;
- A falta de comunicação do que se espera de um novo projeto, com um líder novo;
- Uma preparação frágil dos colaboradores, tratando como se todo time fosse igual;
- A desmotivação rápida e sem inteligência emocional do novo líder;
- A aceleração lenta para o time manter a natureza do líder que está mudando de jornada e de patamar.

Lembre-se sempre que o "líder útil é o líder inútil" e trabalhe bem próximo de seus líderes, para ajudar a criar para cada um as condições de se elevarem para os próximos patamares de inutilidade em sua liderança.

Vale aqui um alerta: a cada vez que uma liderança no seu time precisar de ajuste, é sinal de que você precisa interagir com seus colaboradores e líderes com mais frequência, propagando e alinhando todos os princípios e propósitos do seu negócio.

 ALGUMAS DIRETRIZES DA INUTILIDADE COMPETENTE E RELEVANTE

1. Ajude os líderes de seus times a se tornarem Inúteis Competentes e Relevantes. É assim que você fará sua empresa crescer.
2. Cuide bem para que a liderança de seus times esteja sempre nas mãos de profissionais inúteis e competentes.
3. Lembre-se sempre que o "líder útil é o líder inútil". Portanto, ajude os líderes de seus times a se elevarem para os próximos patamares de inutilidade em sua liderança.

O SUCESSO NÃO ADMITE INDISCIPLINA

Quando falo que o sucesso não aceita ou não admite a indisciplina, digo isso porque sei que o processo que nos leva ao topo do que queremos conquistar é um sistema lógico e prático. Porém, na falta de consistência e manutenção daquilo com que nos comprometemos, ficamos sujeitos a descontroles, inclusive emocionais, que prejudicam a nossa jornada rumo aos nossos objetivos.

Para ser mais direto, posso afirmar com certeza que nunca vi nenhum caso de sucesso de alguém indisciplinado ou com algum descontrole emocional. Podemos dizer até que quem não tem disciplina não quer o sucesso.

Imagine que você assumiu consigo mesmo o compromisso de ter sucesso em alguma área de sua vida. Pois bem, esse compromisso não se resolve sozinho. Para que seu sucesso aconteça, você deve se dedicar a fazer tudo o que esse seu compromisso exige. Isso significa que qualquer desvio que fizer, para fora do seu caminho de sucesso, pode acarretar um desastre na entrega dos seus resultados. É importante que isso fique bem claro: a indisciplina exclui a entrega dos resultados, o que, por tabela, exclui o sucesso.

De forma bem direta, posso dizer que a disciplina caminha com a sua determinação de dedicar-se com reponsabilidade ao seu objetivo, agindo de modo coerente e eficaz na realização do que você planejou. Sendo assim, você vai procurar cumprir os prazos definidos e fazer questão de levar até o fim os seus projetos, pessoais ou profissionais, procurando sempre obter os melhores resultados.

Como exemplo, quero que você pense nas seguintes situações, que definem bem um profissional que não tem disciplina e, portanto, afasta o sucesso de sua vida:

- Chega atrasado em seus compromissos;
- Não entrega as metas estabelecidas;
- Nunca se compromete inteiramente, apenas de forma superficial;
- Procrastina e nunca entrega o que promete, pois se sente o "fodão" que não precisa de ninguém, mas não entende que sozinho é quase impossível ter grandes resultados;
- Suas desculpas são mais fortes que seus objetivos;
- Não precisa tanto do que busca, ou não quer tanto aquilo que definiu como objetivo, por isso é indisciplinado;
- Aprende a escapar dos questionamentos, pois não tem profundidade naquilo a que se propõe;
- É sempre o último a chegar e o primeiro a sair dos compromissos;
- Procura pedir ajuda sobre o que não sabe, porém sempre abusando de outras pessoas que tenham mais humildade intelectual (o chamado "bonzinho", que quer ajudar todos, mas só se ferra);
- Não aceita a dor e só quer ter acertos na vida. Por isso, sempre se justifica dizendo que não vai fazer algo, porque já errou demais.
- Acha que é eterno, que nunca vai morrer, por isso posterga tudo até o último minuto possível.

Está bastante claro que alguém com esse tipo de comportamento não tem muito futuro e sequer passa perto da chance de se tornar um Inútil Competente e Relevante. Afinal, fica a pergunta: "Como é que o sucesso vai aceitar a indisciplina, se ele exige uma sequência de ações que devem ser feitas de forma permanente e responsável, para que o resultado aconteça?"

A falta de disciplina é a falta de um querer que seja mais forte do que as nossas desculpas. Querer algo todos querem, mas a questão é "quem está disposto a pagar o preço" para conquistar o que quer. Sem a disposição e a disciplina para pagar o preço, nossos desejos não têm a menor possibilidade de gerar resultados.

É importante entender que podemos ser disciplinados em determinadas coisas e indisciplinados em outras. Mas o que importa é que sejamos disciplinados naquilo que nos interessa realizar. Eu mesmo sou indisciplinado para um estudo formal, mas extremamente disciplinado para ser um estudioso quando vejo fundamento nas coisas em que estou trabalhando. Nesses casos, tenho fome de aprender e sou altamente disciplinado, mas porque isso me dá prazer, e não por obrigação.

Faz mais de 25 anos que prospecto clientes diretamente, seja pessoa física, seja pessoa jurídica. Tenho muita disciplina com isso, e não poderia ser o contrário. Caso eu fosse indisciplinado nesse quesito, não estaria sequer aqui escrevendo este livro para você – especialmente se pensarmos que estamos falando de alguém que até poucos anos atrás não gostava muito de ler.

A disciplina é a mãe do sucesso, assim como o comprometimento, a intensidade, a fome, a determinação, a resiliência, a visão e tantos outros são parte dessa mesma família. A disciplina é dolorida, pois exige nosso empenho e muitas vezes só mostra seus resultados muito tempo depois. Uma vez que ela não oferece resultado imediato, muitas vezes é largada às traças.

Como exemplo, costumo dizer que levei dez anos de porrada até acertar uma operação de vendas que me levasse ao sucesso. Só que depois eu entendi o ciclo das vendas, aprendi sobre a réplica com base na modelagem, e meu sucesso foi sendo ampliado naturalmente.

Aprendizado diário e disciplina contínua nos levam a ser eternos motivados e motivadores, de tal modo que nossos resultados se tornam melhores a cada dia.

Ao contrário do que muitos dizem, a disciplina não prende você, ela o liberta da insegurança e da indecisão. Existe até uma frase, atribuída ao sábio Aristóteles, que diz: "Por meio da disciplina vem a liberdade".

Quando você consegue criar hábitos com disciplina, liberta-se das dúvidas, das dificuldades, das crenças negativas e dos comportamentos errados que o impedem de atingir seus objetivos.

Com certeza, cada um tem seu propósito e sua visão de mundo, mas não conheço ninguém que não queira ter sucesso na vida. É como eu sempre falo: se você não for capaz de controlar a si mesmo com disciplina, é lógico imaginar que não vai conseguir usufruir do sucesso.

A disciplina nos dá o direito de ir e vir, sabendo que, seguindo em frente com determinação, vamos poder alcançar o sucesso.

 ALGUMAS DIRETRIZES DA INUTILIDADE COMPETENTE E RELEVANTE

1. Repare bem e você vai perceber que não existe nenhum caso de sucesso de alguém indisciplinado. Na verdade, quem não tem disciplina não quer o sucesso.
2. Cuidado: o sucesso não aceita a indisciplina, pois exige uma sequência de ações que devem ser feitas de forma permanente e responsável.
3. Compreenda: a falta de disciplina é a falta de um querer que seja mais forte do que as nossas desculpas. É preciso estar disposto a pagar o preço para conquistar o que queremos.

A GUERRA CONTRA SEUS VALORES

Muita gente entra em uma busca louca e ansiosa pelo sucesso, sem pensar muito no que é preciso fazer para chegar lá. Assim, é muito provável esbarrar em situações que colocarão em xeque coisas fundamentais da vida. Por exemplo, é bem comum que a pessoa seja confrontada em seus valores, ao oferecerem a ela "um modo mais fácil" de conseguir o que quer. Mas a verdade é que, quando ela opta por fazer uma busca pelo sucesso "a qualquer custo e de modo fácil", isso acaba virando uma verdadeira guerra contra seus princípios. Então, tenha muito cuidado com isso.

Se por algum motivo você tomar um caminho que conflitar com seus valores de ética, honestidade, relevância familiar, entre outros, seu grande objetivo nunca será alcançado. Quando você derruba seus próprios valores, é sinal de que aceita a ideia de que tudo é possível e permitido, inclusive fazer coisas ilícitas e descompensadas em busca de fama e de dinheiro.

O dinheiro de forma alguma deve ser o fim, mas sim apenas o meio com o qual você conquistará boa parte de seus sonhos, como adquirir um bom plano de saúde ou até mesmo se tornar dono de um hospital. Saber disso e respeitar essa regra é a grande diferença na guerra dos valores.

Seus valores são estruturados e lapidados ao longo de sua jornada de vida, ano após ano, e são seu principal tesouro. Quando você não negocia com seus valores, passa a ter mais valor mercadológico, maior credibilidade e confiabilidade, pois as pessoas em geral passam a saber que você não será comprado nem irá servir a um concorrente em detrimento de seus sócios ou dos interesses da empresa para a qual trabalha.

Quando você não abre mão dos seus valores, mesmo nos momentos de conflito, será puxado pela lógica do que é correto e não cairá na tentação de fazer algo aparentemente bom, mas que tem um preço muito alto a ser pago, em relação à sua reputação.

Mas não bobeie, não se descuide, porque o desafio aos seus valores é uma guerra constante e solitária, é uma batalha contra si mesmo, que vai exigir que você esteja sempre alerta. Digo isso porque, no meio empresarial e nos negócios, sempre há um diabinho prometendo facilitar a sua vida. Mas, no momento que você roer a corda dos seus valores, a brincadeira acaba, e a conta do seu vacilo começa a chegar. E acredite, não é uma conta fácil de pagar.

Fique atento: na guerra contra seus valores, não vacile. Destrua o capetinha do milagre que não existe e da mágica que nunca acontece. Ninguém vai muito longe se aceitar pagar qualquer vantagem com o sacrifício de seus valores.

Para ser um Inútil Competente e Relevante, é preciso ter como princípio fundamental a consciência e a certeza de que seus valores são inegociáveis.

Profissionais inúteis e insignificantes não assumem valores fortes. Por isso mesmo é que se debruçam na sociedade de forma frágil e colocam sempre suas desculpas com mais força que seus sonhos e suas vontades.

ALGUMAS DIRETRIZES DA INUTILIDADE COMPETENTE E RELEVANTE

1. Jamais aceite uma oferta de "um modo mais fácil" de conseguir o que quer, quando isso implicar sacrificar seus valores.
2. Nunca negocie seus valores. Assim você vai aumentar muito o seu valor de mercado, a credibilidade e a confiabilidade.
3. Compreenda e fique atento: o desafio aos seus valores é uma guerra constante e solitária, é uma batalha contra si mesmo, que vai exigir que você esteja sempre alerta.

ALTA PERFORMANCE E ALTO DESEMPENHO

Para ser um Inútil Competente e Relevante, primeiro você precisa de alta performance e, depois, de alto desempenho.

É claro que alta performance não é o mesmo que alto desempenho. Um é focado em curto prazo e o outro, em médio e longo prazos. Essa é a minha visão sobre isso, a maneira como encaro essas duas habilidades que precisamos desenvolver para nos tornarmos inúteis relevantes.

Ao mencionar alta performance, estou falando de resultados de alto impacto; por exemplo, podemos citar o corredor Usain Bolt nos cem metros rasos, sem dúvida alguma o atleta mais rápido da história. Mas será que ele conseguiria correr quinhentos metros com essa mesma velocidade? Ou uma maratona? É lógico que não. A meu ver, para correr uma maratona precisamos pensar em termos de alto desempenho.

Para que seja possível se tornar um Inútil Competente e Relevante, é necessário entender como o sistema de progressão profissional funciona e saber que, nesse processo, você primeiro se torna alguém de alta performance e conquista metas relevantes e, posteriormente, se torna um profissional de alto desempenho – ou mesmo de desempenho médio, em longo prazo, mantendo a mesma intensidade e frequência – e assim garante uma regularidade nos resultados que conquista passo a passo.

Na alta performance, você precisa entregar resultados em alta intensidade, e muitas vezes o tempo irá se tornar um aliado ou um inimigo. Por isso é preciso aprender a utilizá-lo de forma inteligente. Quanto mais resultado prático e de relevância você entregar quando for útil, mais terá sua performance vista e avaliada pelos seus pares e superiores.

É importante entender que a sua intensidade irá baixar naturalmente. Pelo fato de a sua habilidade e a sua experiência evoluírem, você irá trabalhar muito mais com a visão de consistência de médio e longo prazos, o que irá favorecer a sua geração de desempenho.

É muito importante você perceber que a visão ampliada da alta performance em curto prazo é intensa e de relevância. Já a visão ampliada do alto desempenho, agregando mais pessoas de alta performance, produz resultados em médio e longo prazos, sendo passível de manutenção e consistência.

Em resumo, o que estou dizendo é que é necessário e mais fácil ter alta performance sozinho do que gerar uma máquina de performance em longo prazo, por um tempo longo. Mas, para ter alto desempenho, é preciso contar com muitas pessoas de alta performance juntas e estruturadas nos seus projetos. É assim que você se torna um Inútil Competente e Relevante.

Voltando à ideia principal desta nossa conversa: para ser um Inútil Competente e Relevante, primeiro você necessita de alta performance e, depois, de alto desempenho. Isso nos leva a uma regra bem básica, que uso nos meus negócios e chamo de VRCC – Velocidade, Repetição, Coerência e Consistência. Procure entender que essas quatro características precisam andar juntas na vida de um Inútil Competente e Relevante, e que nenhuma vive sem a outra.

 ALGUMAS DIRETRIZES DA INUTILIDADE COMPETENTE E RELEVANTE

1. Para ser um Inútil Competente e Relevante, primeiro você precisa de alta performance e, depois, de alto desempenho.
2. É muito importante que você perceba que a visão ampliada da alta performance em curto prazo tem que ser intensa e de relevância.
3. Compreenda que a visão ampliada do alto desempenho produz resultados em médio e longo prazos.

PARTE 4

FERRAMENTAS E ESTRATÉGIAS DE UM INÚTIL COMPETENTE E RELEVANTE

Se você quer vencer e ter sucesso, precisa ter as ferramentas certas. E, é lógico, saber bem como as usar, quando partir para a ação.

VRCC – VELOCIDADE, REPETIÇÃO, COERÊNCIA E CONSISTÊNCIA

O VRCC vai dar tom a seus interesses e transformar sua vida. Somente ter pressa não resolve os seus planos. Não adianta sair por aí desabalado, feito um carro sem freio. Quanto maior for a sua velocidade, mais rapidamente se afastará do seu objetivo, se você estiver no caminho errado.

Na pressa, você pode até ter resultados rápidos, mas não serão consistentes nem irão se sustentar. A grande saída para construir resultados sólidos é basear sua liderança em uma estratégia que chamo de VRCC: Velocidade na tomada de decisão, com base na prática de acertos e erros; Repetição e manutenção apenas do que funciona; Coerência dos fatos e relevância dos dados; Consistência para que seja possível avaliar a maturidade do time de vendas. O VRCC é a base para você mudar de patamar rumo ao sucesso, seja qual for a sua profissão.

Velocidade

Você precisa ter velocidade para superar desafios e crescer mais rápido e de forma sustentável, mas lembre-se que velocidade não é pressa. Velocidade é dar aquele tom a mais, sabendo o que, como e de que forma fazer o que deve ser feito.

Repetição

Tudo na vida tem como base o desenvolvimento com repetição. Não existe forma de se tornar excelente em algo sem repetir diversas vezes os pontos importantes de cada processo. Quando você tem velocidade e repetição, por exemplo, ganha tempo de aprendizado, ou tempo de testes, o que vai economizar riscos, dinheiro e frustração.

Coerência

Com relação à coerência, não adianta você querer ensinar algo que não pratica, ou cobrar algo que não faz ou não sabe fazer. A coerência é a base da sustentação de realidade na sua vida. Tudo na vida exige que você tenha coerência suficiente para que seus resultados sejam positivos. A falta de coerência normalmente leva o profissional a um lugar chamado mediocridade.

Consistência

Gosto de falar também em manutenção com velocidade, repetição necessária para se manter ativo, com resultado e coerência. Essa tríade unida à consistência, ou confirmação prática, leva a resultados extraordinários.

Sem velocidade, repetição, coerência e consistência em sua vida, você não vai se tornar o que deseja. Mas, em contrapartida, garanto que, unindo o VRCC a pessoas que irão replicar e escalar suas experiências, com valores inegociáveis, é muito provável que você se torne rapidamente um inútil de grande relevância no mercado em que atua.

Se não tem velocidade, você perde a linha; e sem repetição você não aciona as sinapses que seu cérebro vai aprendendo para chegar ao sucesso. No entanto, se unir a coerência verídica do que busca à consistência e à rotina, você abre os seus caminhos rumo ao sucesso.

É preciso compreender que todo Inútil Competente e Relevante precisou usar a velocidade para sair na frente ou se distanciar no mercado, mas nunca deixou de repetir, para se aperfeiçoar no que era a base de seu trabalho ou de apoio, foi coerente com suas ações e rotinas e manteve a consistência. É por essas razões que ele conquistou o que mais desejava em termos de sucesso e de grandes sonhos.

Entendo e vivo a certeza de que o VRCC é a base para um profissional se tornar um Inútil Competente e Relevante de grande utilidade. Sim, essa é uma visão que quebra paradigmas. É com o VRCC que você vai se tornar o melhor líder entre todos, aquele que podemos chamar de líder útil, ou ainda de "Líder Inútil em Competência e Relevância".

 ALGUMAS DIRETRIZES DA INUTILIDADE COMPETENTE E RELEVANTE

1. Pare e reflita: se você estiver no caminho errado, quanto maior for a sua velocidade, mais rapidamente se afastará do seu objetivo.
2. Fique alerta: a saída para construir resultados sólidos é basear sua liderança na estratégia VRCC: Velocidade, Repetição, Coerência e Consistência.
3. Use e abuse do VRCC. É com ele que você vai se tornar um Líder Inútil em Competência e Relevância. E isso o levará ao sucesso.

FOMI – FORMAÇÃO, MÉTODO E INTENSIDADE

A estratégia que criei e chamo de FOMI – Formação, Método e Intensidade fará de você um Inútil Competente e Relevante mais rapidamente e com maior consistência de resultados.

Tenho o hábito de lembrar que sem o FOMI não é possível se manter firme por muito tempo na jornada de se tornar um Inútil Competente e Relevante. Por isso, faço questão de deixar bem claro o que essa estratégia significa e o que ela representa na vida e na formação de um profissional de vendas de sucesso.

Quando falo em FOMI, não me refiro àquela formação tradicional, nem falo daqueles diplomas conseguidos em bancos escolares, mas sim daquela formação que só se consegue com uma intensa preparação feita na raça, na lida diária, no corpo a corpo do dia a dia de um profissional de vendas. Falo de viver uma luta feroz, rumo aos objetivos que desejamos, enfrentando um campo de batalha realista e verídico no mundo dos negócios e das oportunidades.

Estou falando de se formar com quem já fez o que é preciso e com quem já passou por situações pelas quais você vai passar e que, mesmo sem ter um canudo, está muito mais rico e conquistou algo que você sequer chegou perto ainda. Falo da formação que monitora o caminho que você segue e que, quando percebe que tem um abismo à frente – como perda de dinheiro, risco de quebra, uma ação equivocada –, sabe o que fazer e que rumo tomar para que você não sofra tanto com isso.

É de muito valor entender que tudo isso se trata de, como gosto de dizer, saber o que fazer, e como e de que forma devemos agir para chegar em nossos objetivos. É algo simples de compreender, mas não tão fácil de fazer, pois muitos ficam no caminho pela falta de manutenção da formação. São poucos os profissionais que têm coragem de seguir em frente quando as dificuldades se tornam realmente complicadas. Poucos são aqueles que têm a capacidade de tomar um soco na cara e seguir em frente. Mesmo estando bem perto do seu sonho, muitos acabam jogando tudo para o alto, pois são preparados pela sociedade mais para servir aos outros e não dar nada para si mesmos.

Outra coisa importante a considerar é que, sem uma boa metodologia, é quase impossível conquistar algo na vida. No caso de um vendedor, se ele não tiver um método estruturado que inicie no volume de contatos, depois passe para a análise do andamento do retorno do cliente e por suas sinapses de compreensão, e aborde outros temas importantes, até chegar a um processo consolidado, fica impossível o sucesso ocorrer.

É muito importante entender que a base de um método funcional é que ele seja prático e simples de se processar, com parâmetros que tenham sido testados e validados. Falo da validade na ponta de operação, e não da validade de boca ou em um mercado diferente do seu.

Por exemplo, meu método de vendas se chama SIVE – Sistema Integrado de Venda sem Filtro, que promove todo o alinhamento do ciclo de venda para que, ao final, o resultado aconteça. Ou seja, é processo em cima de processo e muita atitude natural para que o ciclo seja efetivo.

O que quero ressaltar aqui é que não existe profissional de vendas sem um método. Pode até ser um método que não funcione, mas todos temos nossos métodos. É claro que é muito melhor procurarmos um método que funcione e que nos leve para onde queremos ir e nos ajude a conquistar o que queremos. Mas todo profissional precisa ter um método, isso é básico.

Aliás, entenda que, para cada projeto na vida, necessitamos de um método: ter filhos, encontrar um parceiro, procurar o emprego dos sonhos, vender, escovar os dentes, estudar, dar um beijo nos seus filhos, e assim vai. Tudo envolve metodologia. A vida é um grande método e um processo que cada um tem que aprender por suas experiências, do seu jeito, ver o que funciona, o que é fundamental. Mas o mais importante nessa história é ter em mente que o melhor método é aquele que dá o resultado prático que você busca.

Voltando à ideia da estratégia FOMI – Formação, Método e Intensidade, já falamos de formação e de método. Agora, o bicho sempre pega quando falo em **intensidade**.

Da mesma forma que relacionamentos e conexões duradouras baseiam-se em frequência, no tempo conectado e na intensidade e na relevância do contato, é assim que devemos pensar em termos de negócios e na vida profissional.

A intensidade que você imprime a um relacionamento e a frequência com que mantém contato são duas características que farão de você um caso de sucesso ou um fracasso total. A intensidade normalmente é responsável pela energia empregada no objetivo e de que forma essa energia é direcionada para o resultado.

Não adianta muito ser frequente, mas leve, superficial. É preciso entender que intensidade e fervor são os elementos que vão fazer você ser visto de maneira diferenciada. Lembre-se que água morna não ferve.

A realidade mais pura e funcional que se pode ter é que somente colocando intensidade nos seus relacionamentos comerciais você vai se tornar um verdadeiro Inútil Competente e Relevante. Você duvida disso?

Então me diga: você conhece alguém do tipo que chamamos de "sem sal", ou que dizemos que "não fede nem cheira", "nem para o bem nem para o mal"? Você já se relacionou com pessoas que, se estiverem ou não no ambiente, não muda nada? Pois bem, é disso que estou falando quando digo que sem intensidade e sem expressão não se ganha o jogo.

São os intensos que se transformam com maior facilidade, por sua realidade prática e seus resultados, em Inúteis Competentes e Relevantes. Afinal, eu nunca vi uma luta no ringue ser frouxa; só afrouxa para quem perdeu. Na vida profissional vale o mesmo: não há como um frouxo ter resultado significativo e vencer.

A intensidade é uma forma de ser visto e precificado. Você, queira ou não, é precificado pela intensidade que demonstra. A intensidade coloca você com mais energia e lhe dá mais poder sobre algo que esteja buscando.

Lembre-se sempre que sem FOMI você não é nada na vida e não terá a vida dos seus sonhos, nem vai se tornar um Inútil Competente e Relevante.

 ALGUMAS DIRETRIZES DA INUTILIDADE COMPETENTE E RELEVANTE

1. Procure aprender com quem já fez o que é preciso e já passou por situações pelas quais você vai passar.
2. Defina seu método de trabalho. Não existe profissional de sucesso em vendas que trabalhe sem um método.
3. Seja intenso. Não adianta muito ser frequente, mas leve, superficial. Lembre-se que água morna não ferve.

SIVE – SISTEMA INTEGRADO DE VENDA SEM FILTRO

Uma coisa importante a considerar é que, sem uma boa metodologia, é quase impossível o sucesso ocorrer na sua vida. No caso de um vendedor, se ele não tiver um método estruturado fica impossível trabalhar e obter resultados significativos. É muito importante entender que um método funcional precisa ser prático e simples de processar, além de ter sido validado na ponta de operação no seu mercado. Um bom método é uma ferramenta poderosa para ajudar você a se tornar um Inútil Competente e Relevante na área de vendas.

O SIVE promove o alinhamento de todo o ciclo de venda para que, ao final, o resultado aconteça. Esse é um método que une todos os ciclos do sistema de compras dos clientes.

O foco principal não está propriamente no fechamento da venda, mas sim na execução do passo a passo de um método que traz o cliente de forma mais sólida para dentro do seu negócio. Assim, o fechamento das vendas acontecerá naturalmente, em curto, médio ou longo prazo.

Os passos que o SIVE apresenta como essenciais estão descritos a seguir.

- **Planejar corretamente** – É preciso respeitar o ciclo de vendas, pois ele é a base para a construção de um relacionamento produtivo com o cliente. Dentro desse planejamento é necessário levar em conta elementos como o tempo de negociação, os recursos aplicados, o *ticket* médio do cliente etc.
- **Prospectar com profissionalismo** – A prospecção correta nos permite avaliar se estamos lidando com um PCC (Perfil de Cliente Comprador) ou com um PCI (Perfil de Cliente Ideal) e, assim, traçarmos a estratégia adequada para fazer o atendimento do cliente.
- **Validação da abordagem** – Seguindo o ciclo do processo de vendas, é preciso fazer a validação da nossa abordagem do cliente e ajustá-la, se necessário, para que seja precisa determinando quem é o que faz.
- **O ganho do cliente** – É necessário avaliar o que o cliente vai ganhar escutando você. Afinal, antes de comprar o seu produto, o cliente precisa despender tempo para ouvir o que você tem a dizer.
- **Levantamento das necessidades** – É essencial fazer um levantamento das necessidades do cliente, saber quais são suas dúvidas, suas inseguranças e seus medos. Somente assim é possível oferecer a ele um produto ou serviço que o atenda e desperte seu interesse.
- **Levantamento do desejo ardente** – Levantar qual é o desejo ardente do seu cliente é uma estratégia poderosa para poder oferecer a ele algo em que tenha interesse genuíno e que satisfaça a necessidade no momento.
- **O fechamento natural** – Dando sequência ao processo, após validada a necessidade do cliente e todos os demais detalhes que devem ser atendidos para satisfazê-lo, vem o ciclo de fechamento da venda, que deve acontecer de modo totalmente natural.

☛ **A pré-venda futura** – Essa é uma forma de trabalhar de modo a vender previamente um produto de interesse do cliente no futuro, porém já amarrado com algum compromisso no presente.

Quanto mais desses itens usarmos no processo de venda, mais precisos seremos e maior chance teremos de nossa proposta ser validada e convertida em vendas. Mas lembre-se que sempre é necessário respeitar o tempo de compra do cliente.

Caso seja feita uma construção incorreta desse processo, corremos o risco de perder a venda e, se não revertermos essa situação, podemos até perder o cliente. Por isso, é bom usar uma estratégia de relacionamento com o cliente baseada em quatro atitudes: escutar, reconhecer, diagnosticar e responder. Dessa forma, sempre podemos reavaliar para que lado estamos caminhando e corrigir possíveis desvios.

Com o SIVE temos um sistema claro e de avanço passo a passo para estruturar nossas vendas.

 ALGUMAS DIRETRIZES DA INUTILIDADE COMPETENTE E RELEVANTE

1. Considere que sem uma boa metodologia, sem um método estruturado, é quase impossível obter resultados significativos.
2. Entenda que um método funcional precisa ser prático e simples de processar, além de ter sido validado na ponta de operação, no seu mercado.
3. Compreenda que, para que o seu resultado aconteça, é preciso lançar mão de um método que passa por todos os ciclos do sistema de compras dos clientes. Porém, nunca se esqueça também que é necessário respeitar o tempo de compra do cliente.

O CONCEITO DO CHAPAR

Gosto muito de criar nomes, ou chaves de memorização, para identificar as estratégias e os métodos que uso no dia a dia de trabalho. Sinto que dessa forma fica mais fácil a compreensão e a memorização dos conceitos por todas as pessoas a quem apresento essas estratégias.

É o caso, por exemplo, do conceito do CHAPAR, que identifica de imediato algumas características essenciais de um profissional Inútil, Competente e Relevante. CHAPAR diz respeito a Conhecimento, Habilidade, Atitude, Propulsão, Ambição e Resultados.

Existem algumas formatações que precisam se tornar simples e práticas para que todos entendam e possam aplicá-las. O CHA – Conhecimento, Habilidade e Atitude, por exemplo, é uma delas.

Particularmente, penso que, embora o CHA seja muito útil, ainda podemos ir além dele e explorar outros pontos fundamentais para um profissional de vendas. Precisamos colocar mais algumas peças nesse tabuleiro, outras características profissionais que precisam andar juntas e alinhadas, para que um profissional reúna todas as condições para se tornar um Inútil Competente e Relevante. Assim, instituí o modelo

CHAPAR, que traz uma ampliação do CHA, tornando-se uma estratégia muito mais completa e efetiva.

É claro que você precisa ter *conhecimentos* sobre o produto, a linha de atuação do cliente, seus desejos e suas necessidades etc. Mas, por mais que tenha *habilidades* suficientes e *atitudes* relevantes, você precisa complementar sua estratégia para vender mais e melhor. Esse complemento é a potência extra que dá *propulsão* à estratégia de venda. É o que leva você a fundo para dentro de um processo de venda ou de abertura de um mercado.

Quando falo em *ambição*, refiro-me ao fato de que sem ela não se chega a um lugar que seja alto, a um grande jogo, ou a sonhos gigantes. Em toda a minha vida, nunca vi um grande profissional não ter ambição. Sem ela você será apenas um medíocre neste mundo de negócios e de oportunidades. Apenas quero chamar sua atenção para que tenha cuidado de não cair na ambição descabida, que passa dos limites e do bom senso, que fere a seriedade, o respeito e os valores sociais.

Entretanto, não adianta nada fazer tudo isso, mas não obter *resultados*. Mesmo quem muito trabalha, mas não obtém resultados, não tem valor algum. Entenda que não interessa o seu esforço sem entrega; tudo não vai passar de mais uma desculpa para você permanecer longe do sucesso.

Em resumo, o modelo CHAPAR reúne os potenciais, as visões, as ações, as ambições e os resultados. Características essenciais de um profissional Inútil, Competente e Relevante.

 ALGUMAS DIRETRIZES DA INUTILIDADE COMPETENTE E RELEVANTE

1. Seja muito ambicioso. Apenas tenha cuidado para não cair na ambição descabida, que fere a seriedade, o respeito e os valores sociais.
2. Por mais que você tenha *habilidades* suficientes e *atitudes* relevantes, sempre é preciso complementar sua estratégia para vender mais e melhor.
3. Tenha em mente que CHAPAR define seu sucesso. Tenha Conhecimento, Habilidade, Atitude, Propulsão, Ambição e Resultados.

ENTENDA DE PROSPECÇÃO

Entender de prospecção é fundamental mesmo que você não seja um vendedor voraz. Prospectar é útil e necessário em diversas atividades empreendedoras, como no momento em que você vai montar um time.

Costumo dizer que uma prospecção boa é uma "prospecção maníaca". É assim que gosto de chamar – maníaco no quesito focado, doido, maluco por prospectar. Uma prospecção maníaca é aquela em que o foco é a captação de clientes em todas as vertentes, seja por telefone, seja de forma digital, seja por contato presencial, seja B2B, B2C, B2B2C etc. Mas, na verdade, tudo se resume a P2P (Pessoas para Pessoas). Quanto mais robusta for a entrada do funil de vendas, menos riscos de anemia se tem no faturamento. Um funil anêmico significa um faturamento pífio. É na prospecção que já se consegue diferenciar os "homens dos meninos", em vendas.

Existem dois tipos de funil: o padrão e o reverso. No padrão a boca do funil é maior, por isso também é maior a força de entrada de possíveis clientes, sejam de PCC ou PCI – e aqui depois precisaremos nos atentar para separar quem é cada um deles dentro do funil.

O funil padrão é muito usado para prospecção em massa e para fazer volume, pois, quanto mais pessoas trouxermos, maior é a possibilidade de acertos. Esse tipo de funil serve muito bem para quem não tem tanta experiência e não sabe ainda seu perfil de cliente ideal e também para quem ainda está no aprendizado sobre o produto ou o serviço que vende. Em resumo, nesse tipo de funil os possíveis clientes entram "de balde", mas saem de conta-gotas, como clientes efetivos.

O outro é o funil reverso. Conforme é possível acompanhar na ilustração da próxima página, a boca de entrada do funil é estreita, mas tem mais volume de clientes reais, já que foram estabelecidas previamente as métricas de entrada. Esse modelo é mais profissional e mais preciso, muito embora eu quase não tenha visto no mercado essa estratégia em uso nos negócios.

Nesse caso, o cliente entra de conta-gotas, mas sai "de balde", porque a saída na base do funil é mais larga, porém muito mais precisa. Esse processo é mais trabalhoso, exige arte e ciência juntos e temos de nos tornar verdadeiros cientistas para entender quem é quem no perfil de cliente.

Eu tenho esse como o mais efetivo possível, mas também como o mais estratégico e trabalhoso, porém com resultado maior. Enfim, trabalhar muito, como no funil tradicional, é ótimo; no entanto, quando se entende o funil reverso, o trabalho é feito de modo mais estruturado, e colhemos mais resultados de alto desempenho.

Enfim, prospectar nada mais é do que fazer uso de um conjunto de atividades que você tem para descobrir possíveis oportunidades de negócios, de novos clientes, de qualquer coisa que você necessite e tenha que ir buscar no mercado. Você precisa de prospecção até para encontrar uma namorada, ou um futuro marido. Você prospecta todo dia, a toda hora. Até no supermercado você prospecta um alimento ou um produto que seja adequado às suas reais necessidades daquele momento. Acredito que por aqui já dá para você entender a bomba atômica que é, quando falamos em prospecção.

Prospectar é, por exemplo, você ir a algum lugar onde existam potenciais clientes, para que você seja visto, depois lembrado, depois reconhecido, depois conectado, sempre na busca de um *fit* maior, na garimpagem de pessoas que se encaixam no perfil dos seus clientes. E finalmente preparar e apresentar seus produtos e serviços, de acordo com os interesses coletivos e do momento que está vivendo. Entenda que o momento da prospecção também tem muita variação dependendo tempo de compra do produto ou do serviço pelo cliente. Por exemplo, não tem como vender seguro de vida para alguém tomando cerveja na beira da praia de Copacabana, não é mesmo?

Fazer prospecção é manter um *link* direto para o seu sucesso, uma vez que envolve você entender de forma relevante onde deve procurar o que precisa e quais técnicas e ferramentas são necessárias para encontrar seu cliente ideal e viabilizar o seu objetivo final.

FUNIL DIRETO (PCC/PCI)

Entra de balde (muito espaço)

Sai de conta-gotas (menor faturamento)

FUNIL INVERTIDO

Entra de conta-gotas (esforço inteligente)

Sai de balde (maior faturamento)

Quero ressaltar aqui que prospectar é a parte que mais precisa de toda a sua atenção, pois, por mais que você acredite que saiba como encontrar seu cliente ideal, é necessária muita experiência para seguir prospectando com sucesso continuamente, de modo a se manter no topo do sucesso.

Para quem tem uma estratégia de prospecção frágil, o volume na entrada no funil de vendas – e também de captação e manutenção do cliente – é baixo e pode comprometer todo o trabalho de ascensão do profissional à categoria de Inútil Competente e Relevante.

Vou citar aqui, em destaque, mais alguns pontos importantes para ajudá-lo a entender melhor a prospecção. Pegue papel e caneta e anote os detalhes que vou relacionar a seguir, com relação ao perfil do seu cliente.

Liste 3 de seus clientes PCC (Perfil de Cliente Comprador) e descreva suas características.

O cliente PCC é um cliente comprador. Isso quer dizer que ele pode até comprar o seu produto, mas não significa que se tornará um cliente ideal, em termos de valor de *ticket*, de frequência de compra e de se tornar um replicador da sua marca, com recomendações reais, e não apenas indicações que mais se tornam um despacho. Mas renderá algum dinheiro para você, seja em comissões ou em valores de compras. Um bom exemplo é aquele cliente que passa por um restaurante desconhecido, em um lugar que ele praticamente não frequenta, e entra para comer simplesmente porque está com fome.

Liste 3 de seus clientes PCI (PCI – Perfil de Cliente Ideal) e descreva suas características.

O cliente PCI é o cliente ideal. Isso quer dizer que ele tem maior probabilidade de comprar, por vários fatores. Ele poderá comprar de você uma primeira vez e tem maior probabilidade de voltar a comprar, com valores de *tickets* cada vez maiores, tornando-se um replicador e fazendo uma recomendação real de sua marca e de seu trabalho. Voltará a comprar com maior frequência, por necessidade ou desejo, e ainda contribuirá para que você possa utilizá-lo como referencial para fazer melhorias no seu produto ou serviço. Um bom exemplo é aquele cliente que sempre busca determinado restaurante porque gosta da comida e do ambiente, se satisfaz, entende a marca, se encanta com o atendimento e outras coisas assim.

Analisando esses dois casos, você verá que são perfis diferentes de clientes. Portanto, é muito importante levar isso em conta, ainda mais quando você precisa avaliar o melhor ambiente para que cada um se sinta confortável na hora das negociações, dentro dos seus padrões de trabalho.

Outro ponto também importante a que você precisa estar atento é sobre que perfil de vendedor será o mais recomendado para atender cada um desses tipos de clientes. Quanto mais aprendiz for o vendedor, mais dificuldade ele terá de interpretar quem é o PCC e quem é o PCI, pois isso é a famosa escola da vida de vendas que ensina. Esse discernimento vem com a realização, e sem resultados prévios não tem como saber quem é quem.

Eu falo muito sobre isso, inclusive esse material está bem explicado em meu primeiro livro, *A lógica: como faturar milhões com seguro de vida*. O que acontece é que de zero a três meses é um período em que ou o vendedor sobrevive no mercado, ou é eliminado por ele. De três a nove meses, o vendedor adquire conhecimento e começa a entender um pouco sobre vendas. De nove a dezoito meses, ele já usufrui razoavelmente dos resultados dos seus esforços – é como comprar aquela tão sonhada TV para assistir com a família e todos perceberem que o resultado está acontecendo e que o esforço dele está valendo a pena. De dezoito a 36 meses, o vendedor passa a ter mais condições de compartilhamento, ou seja, de montagem de times de alto desempenho.

É fundamental que tudo esteja alinhado para atender e satisfazer ao perfil de cada tipo de cliente que será atendido. Se, por exemplo, você colocar um vendedor muito intenso para atender um cliente calmo e tranquilo, é provável que perca a venda.

Cabe ao líder compreender e cuidar para que essas relações sejam cuidadosamente construídas. Lembrando sempre que conexões parecidas têm maior probabilidade de terem sucesso na efetivação. Então pense bem sobre isso quando for prospectar clientes com seu time.

 ALGUMAS DIRETRIZES DA INUTILIDADE COMPETENTE E RELEVANTE

1. Faça do prospectar uma missão de vida. Não deixe que a falta de prospecção o leve à morte como vendedor. Só assim você vai descobrir possíveis oportunidades de negócios, de novos clientes e de qualquer outra coisa que precise.
2. Esteja atento ao perfil de vendedor mais recomendado para atender cada tipo de cliente.
3. Lembre-se que conexões parecidas têm maior probabilidade de terem sucesso na efetivação. Então pense bem sobre isso quando for prospectar clientes com seu time.

APRENDA A VENDER SEM VENDER

O mundo está cheio de especialistas querendo vender cursos sem ter o menor resultado comprovado em seus negócios. São "especialistas em vendas" que na verdade não têm especialidade alguma e não vendem nada. São pessoas querendo educar outras, sem que tenham educação. Vendem aquilo que não têm para entregar. Por isso, quero alertar você: nunca pague para os "milagrosos" que dizem que vão deixar você rico, mas, se os virarmos de cabeça para baixo, não cai nem ao menos uma moeda.

Falo isso porque um dos grandes segredos para vender não está no ato da venda em si. O segredo está em ser tão poderoso no que você faz que o cliente passa a querer o que você tem para vender. Você não precisa fazer força para vender, porque é o cliente que quer comprar. Você é apenas a fonte de inspiração que traz algo para solucionar os problemas do cliente, ou quem sabe suprir suas vaidades e seus desejos mais relevantes, entre outras coisas.

Não existe nada mais chato e desgastante do que quando alguém quer, a qualquer custo, empurrar algo para você comprar, sem que você esteja convencido da sua necessidade ou sem que tenha percebido o valor do que está sendo oferecido. É algo lógico pensar que as pessoas só compram quando querem ou precisam, e isso tem que estar claro para o profissional de vendas, amador ou experiente na profissão.

Um ponto para o qual você precisa atentar é que as pessoas gostam de comprar quando sentem uma conexão de ganhos com aquela compra. E isso não ocorre quando o profissional de vendas quer, mas sim quando essa conexão – por meio de um produto, um serviço, uma ideia, um convite etc. – é percebida pelo cliente.

É impossível vender e fidelizar um cliente se a sua única intenção for fechar a venda. Você precisa se esforçar para ser percebido pelo cliente e gerar retorno prático para ele, com o produto ou serviço de que dispõe. É necessário que você seja sensível e perceba do que o cliente precisa ou o que ele deseja; caso contrário, ninguém comprará de você, ou, quando muito, comprará apenas uma vez e nunca mais.

Outra dica que gosto de dar é que, antes de atiçar o interesse do cliente sobre o que você está vendendo, é relevante perceber a expressão dele enquanto ouve o assunto de que você está falando. Por exemplo, quando você começa a falar e a pessoa olha para o lado, sem lhe dar muita atenção, significa que ela não teve ainda a percepção do possível ganho que você está oferecendo a ela. É lógico que, em uma situação como essa, você vai "falar com as paredes". Mas não entenda isso como uma recusa definitiva por parte do cliente. Esse pode ser apenas um sinal de que aquela não é a melhor hora para você negociar; talvez você não deva tentar fazer a venda nesse momento, então deixe para outra ocasião. É importante que você nem mesmo abra sua caixa de habilidades de vendas, até que o cliente demonstre algum interesse no assunto.

Muitas negociações precisam ser retomadas em outro momento, pois o interlocutor não está aberto para avaliar o que está sendo dito. Porém, essa é uma situação que muitas vezes não é percebida pelos novatos ou amadores no ramo de vendas.

Sem a necessária experiência para lidar com esses casos, quando esse tipo de situação acontece, muitos vendedores desistem do cliente e, desse modo, abrem um espaço para que um profissional competente faça a venda. Na verdade, o profissional experiente vende sem vender, pois, ao perceber o momento certo da negociação, é o próprio cliente que decide pela compra. É como se o vendedor amador tivesse aberto uma porta e depois saído sem a fechar; logo um vendedor mais hábil aproveita a abertura, vai lá e faz a venda, com muito menos trabalho.

Enfim, o mais importante é você se concentrar em vender-se como um profissional confiável, com caráter exemplar e com autoridade, antes de oferecer o seu produto para o cliente. Dessa forma, seu esforço não será o de vender produtos e serviços, mas sim de alinhar-se com as expectativas e perspectivas do seu cliente, criando estímulos para que a negociação aconteça com sucesso para ambas as partes.

Para concluir esta visão, é relevante que você compreenda que é preciso ser suave na condução da negociação e preciso no resultado. Com isso não estou dizendo que você deve ter uma "fala mansa", mas uma suavidade que requer experiência e interesse legítimo em atender à necessidade do cliente. Esse é o melhor caminho para você se tornar um Inútil Competente e Relevante com muito mais rapidez.

 ALGUMAS DIRETRIZES DA INUTILIDADE COMPETENTE E RELEVANTE

1. Entenda que você precisa ser a fonte de inspiração que traz algo para solucionar os problemas do cliente, e não alguém que está querendo apenas vender algo para ele.
2. Seja sensível para perceber do que o cliente precisa ou o que ele deseja; caso contrário, ele não comprará de você, ou, quando muito, comprará apenas uma vez e nunca mais.
3. Compreenda que muitas negociações precisam ser retomadas em outros momentos, pois o interlocutor não está aberto para avaliar o que está sendo oferecido naquele momento.

ANTES DE TOMAR UMA DECISÃO, ENTENDA O PROBLEMA

Resolver um problema envolve basicamente quatro atitudes: a primeira é reconhecer que o problema existe, a segunda é entender o problema, a terceira é tomar a decisão de solucioná-lo e a quarta é agir para resolvê-lo – ou, como gosto de dizer, "partir para cima do problema para resolver". Quanto mais você entender isso, mais vai se tornar um Inútil Competente e Relevante, e vice-versa.

Quando se trata de resolver problemas, gosto de remeter esse assunto a outro livro meu, em que apresento o método *Gooo up* e falo sobre "o poder de ir para cima dos problemas e dificuldades, antes que eles venham para cima de você". Com ele é possível colocar cada coisa no seu lugar para depois tomar uma decisão mais adequada e racional sobre os problemas em questão. Você pode aprender sobre esse método com detalhes e profundidade lendo meu livro *Gooo up*.

É importante entender e aceitar que problemas sempre existirão. Eles são parte fundamental da nossa vida e estarão presentes em toda a nossa jornada, principalmente quando nos aventuramos por novos caminhos, nos quais temos pouco ou nenhum conhecimento ou experiência. Mas problema não é sinônimo de algo ruim, e pensar de maneira negativa sobre os problemas não é uma linha de raciocínio que seja conveniente ou que beneficie alguém.

Entretanto, há um fato que não se pode negar: pessoas de sucesso, em especial aquelas que são Inúteis, Competentes e Relevantes, sabem como solucionar problemas e dificuldades de forma ágil, direta e apropriada. Independentemente do tamanho do problema, elas sabem que só crescem quando encontram uma forma de resolvê-lo.

Pessoas de sucesso entendem plenamente que o princípio de focar na solução, e não no problema, pode mudar completamente sua vida e seus negócios. Elas solucionam problemas e dificuldades da forma mais simples possível, seguindo aquele ditado, que diz: "para que complicar se você pode simplificar?". Viabilizam soluções simples e vão para cima dos problemas com força e vontade. Encaram os problemas e tomam as decisões necessárias para resolvê-los. E persistem no trabalho até alcançar o resultado procurado.

E é aqui que ressalto: diante de um problema, antes de tomar uma decisão, entenda qual é realmente esse problema. Conhecer o inimigo é o primeiro passo para vencê-lo. E a melhor forma de conhecer um problema é "ir para cima dele com naturalidade". É preciso encarar as dificuldades de modo natural, sem medo, sem dúvida, sabendo que sempre existe um caminho para dominar e eliminar o problema.

---

* *Gooo Up – aprenda o método infalível de como resolver problemas, conquistar qualquer objetivo e crescer acima de todas as expectativas*, disponível em: https://www.albertovendas.com/livros.

É preciso, então, ampliar nossa visão sobre o problema que temos a enfrentar. Um dos pontos principais para lidar com um problema é saber de onde ele vem. Uma forma simples de olhar para ele mais de perto é utilizando uma visão que chamo de Tríade do Problema, que desenvolvi para verificar a origem do problema, como ele de fato é e como ele se comporta.

Todo problema chega até nós principalmente de uma destas três maneiras:

- Você compra o problema de alguém;
- Você produz ou gera o problema;
- Você herda o problema.

E saber exatamente em qual desses casos o seu problema se enquadra é o primeiro grande passo para resolvê-lo e visualizar o caminho a ser tomado para solucioná-lo.

Uma vez que você tenha essa compreensão inicial do problema, pode então lançar mão da metodologia *Gooo up* – que se encontra totalmente detalhada no livro que já mencionei – como uma ferramenta poderosa para encontrar a melhor maneira para solucionar o problema que tem pela frente.

 ALGUMAS DIRETRIZES DA INUTILIDADE COMPETENTE E RELEVANTE

1. Uma vez que você tenha entendido qual é o problema, vá para cima dele com tudo, determinado a resolvê-lo. "*Gooo up* nele".
2. Amplie sua visão sobre o problema que você tem a enfrentar. Conhecer o inimigo é o primeiro passo para vencê-lo.
3. Encare as dificuldades de forma natural, sem medo, sem dúvida, sabendo que sempre existe um caminho para dominar e eliminar um problema.

PARTE 5

PARA REFLETIR, ESTUDAR E APLICAR

O primeiro passo é refletir e perceber onde você está. O segundo passo é estudar a sua estratégia para avançar. O terceiro passo é aplicar o que você aprendeu para atingir novos patamares de sucesso.

IDEIAS PARA MENTORAR

Sempre é bom a gente aprender com quem já sabe, com quem já fez. Quando temos alguém como mentor, encurtamos nosso caminho e chegamos mais rapidamente aos nossos objetivos.

Assim, quando seguimos aprendendo com as ideias de quem já provou que tem sucesso, podemos nos tornar Inúteis Competentes e Relevantes com muito mais rapidez.

A seguir, apresento uma lista das principais ideias que considero que podem ser "mentoradas", isto é, copiadas de pessoas de sucesso, e que o ajudarão a também chegar ao topo.

- Foque na contribuição daqueles que ousam sempre superar seus próprios recordes. Busque pessoas com sucesso em atividades relacionadas com a sua área e procure observar e aprender com elas.
- Desenvolva ciclos de treinamento em atividades nas quais você é espetacular e compartilhe seus conhecimentos com seu time.

- Faça uma enquete com seus colaboradores e descubra com quem você pode contribuir de maneira especial e mais intensa. Busque pessoas que também tenham características que as levem a ser Inúteis Competentes e Relevantes.
- Trace planos simples, envolvendo no mínimo quatro pessoas que você possa incentivar, estimular e ensinar. Avalie essas pessoas a cada três meses. Durante o ano todo, vá ajustando o ciclo desse processo, de modo a preparar o melhor possível as pessoas com grande potencial de alavancagem do seu negócio.
- Avalie o limite que lhe interessa atingir em sua atividade atual, verifique qual seria o seu ápice e, por fim, perceba onde você está hoje, dentro dessa sua possível jornada de sucesso.
- Busque *hackear* os hábitos e as rotinas de pessoas que estejam no mínimo dois degraus acima do patamar onde você se encontra. Assim você crescerá mais rápido que seus concorrentes.
- Crie o hábito de delegar tarefas e responsabilidades, mesmo que ainda não seja um líder. Saber dividir o trabalho e distribuir responsabilidades alivia a sua própria carga e alimenta o líder que existe em você. Além de deixar claro para todos os seus parceiros que o trabalho entre vocês é colaborativo, todos visando aos mesmos objetivos e se candidatando a receber os mesmos benefícios.
- Perceba que um líder não é obrigatoriamente um ótimo gerente. O líder entende de alavancar estruturas e pessoas para que gerem ótimos resultados, enquanto o gerente normalmente é especialista em processos.

Lembre-se sempre que aprender com quem já sabe encurta caminhos e economiza tempo, dinheiro e esforços. Ninguém precisa reinventar a roda. Ela já foi inventada e funciona perfeitamente. Então o que você precisa fazer é usá-la do modo mais criativo possível. Aproveite o conhecimento dos outros para ir mais longe. Apoie-se no que os outros já descobriram para aprender ainda mais. Inspire-se no que disse o cientista Isaac Newton: "Se eu vi mais longe, foi por estar sobre ombros de gigantes".

ALGUMAS DIRETRIZES DA INUTILIDADE COMPETENTE E RELEVANTE

1. Busque *hackear* os hábitos e as rotinas de pessoas que estejam no mínimo dois degraus acima do patamar onde você se encontra.
2. Lembre-se que aprender com quem já sabe encurta caminhos e economiza tempo, dinheiro e esforços.
3. Reflita sobre o que disse Isaac Newton: "Se eu vi mais longe, foi por estar sobre ombros de gigantes".

ENTENDA DE GENTE

Em tudo o que faço, sempre me vem à mente a questão de "Pessoas, Sistemas e Produtos". Ou seja, você precisa ter pessoas, um sistema de negócio e processos e produtos ou serviços funcionando juntos, como coisas complementares. Dentro dessa realidade, considero de importância especial entender de gente.

Entenda de gente, mesmo que você não se ache um dos melhores interlocutores. Por mais que você não seja alguém com uma excelente oratória, considere que não é preciso ser um palestrante, mas sim um treinador prático, para se tornar alguém que entende e fala a língua de diferentes perfis de pessoas, com resultados focados em cada uma delas.

Não existe a chance de você ter sucesso e se tornar um Inútil Competente e Relevante sem saber falar com as pessoas e entendê-las. Para se comunicar plenamente, é preciso conhecer as expectativas das pessoas e saber qual é o estímulo e a perspectiva que cada indivíduo de seu time possui. Em especial, é preciso certificar-se de que as pessoas de seu time estão alinhadas com o que você está propondo.

Vejo muitas pessoas falando sem parar e repetidamente como um papagaio, ou mesmo se apresentando maravilhosamente bem, mas que não entendem nem das aspirações nem das dores a serem curadas em seu time de trabalho.

Muitas vezes, o que menos importa é falar bem. O ideal é se comunicar de uma maneira que a outra parte compreenda a direção e o objetivo a ser atingido, de onde se vai sair e como se vai chegar lá, de que forma devemos nos comportar e quais ações devem ser feitas para que se atinja o resultado esperado.

Você nunca vai ver um profissional que entende de gente ter resultados fracos. Ele pode até começar com resultados considerados medianos, mas jamais permanece nesse patamar, pois tem fome de crescer, tem o desejo ardente de evoluir, tem a obstinação e com ela vem uma visão "maníaca" de fazer tudo o que é necessário para chegar aos próximos patamares, sempre mantendo os valores e a legalidade no seu devido lugar.

Unir pessoas, sistemas e produtos é a chave para que qualquer um tenha a chance de se tornar um Inútil Competente e Relevante.

 ALGUMAS DIRETRIZES DA INUTILIDADE COMPETENTE E RELEVANTE

1. Entenda que é preciso ser um treinador prático, alguém que entende e fala a língua de pessoas de diferentes perfis.
2. A sua grande chance de ter sucesso e se tornar um Inútil Competente e Relevante está em saber falar com as pessoas e entendê-las. O que importa é se comunicar de uma maneira que a outra parte compreenda a direção e o objetivo a ser atingido.
3. Conheça as expectativas das pessoas e saiba qual é o estímulo e a perspectiva que cada indivíduo de seu time possui. Em especial, certifique-se de que as pessoas de seu time estejam alinhadas com o que você está propondo.

O SEU JEITO DE FAZER AS COISAS

No meio dos empreendedores, é bem conhecida esta frase: "do jeito que você faz uma única coisa na sua vida, seja qual for, você faz tudo da mesma forma". Como diz o gaúcho, "é aqui que a porca torce o rabo".

Sim, essa verdade é que controla nossa vida. Portanto, precisamos de muito cuidado com a forma como fazemos as coisas. Devemos ter certeza de que o nosso jeito de agir nos levará para o sucesso, e não para o buraco.

Para começar a conhecer seu próprio jeito de fazer tudo na vida, vou explicar um pouco sobre quais são os comportamentos mais frequentes entre as pessoas que já encontrei pela vida afora. Posso dizer que há basicamente três tipos de pessoas.

Aquela pessoa que tem iniciativa, mas não tem "acabativa".

Existem pessoas que têm alta iniciativa, mas não têm um motivo forte para seguir até o final do caminho e, por isso, vivem sem "acabativa".

Em geral, suas desculpas para justificar suas desistências são mais fortes que o motivo que elas têm para passar pela barreira das dores, até atingir o sucesso. É assim que 99% das pessoas matam o seu progresso.

Reparei que toda vez que isso acontece é porque a pessoa é impulsionada por motivos alheios, que não têm força interna para sua manutenção. Sua única iniciativa é externa, e a pessoa é levada pela manada e pelo medo de não fazer nada enquanto outros da mesma tribo estão agindo, mesmo que superficialmente.

É importante perceber que a acabativa só existirá quando a força do seu motivo superar a sua dor de prosseguir e eliminar a facilidade de dar desculpas.

Faça uma lista com cinco pessoas que você conhece que sempre começam algo, mas nunca terminam. Agora responda a estas questões:

- De 0 a 10, que nota você daria para o nível de "iniciativa com acabativa" de cada uma delas?
- De 0 a 10, qual é o nível de sucesso que você diria que cada uma dessas pessoas tem?
- Você acha que essas pessoas têm um sucesso consistente e que vai durar?

Agora faça uma autoanálise e responda com sinceridade: de 0 a 10, qual é o seu nível de "iniciativa com acabativa"?

Aquela pessoa que não tem iniciativa e, consequentemente, também não tem "acabativa".

Esse ponto é fator de definição da patologia do "coitadismo". A pessoa não tem iniciativa porque não está motivada, mas não sabe por que não está motivada – e estar desmotivada já é motivo para se fazer de vítima. Em resumo, é uma zorra total. Não sabe nem por que está vivo, mas não quer morrer; não sabe por que trabalha, mas não larga o emprego; não sabe por que a vida é uma droga, mas não faz nada para ser diferente.

Essa pessoa é o câncer da sociedade em que vive e quase sempre acaba levando outras pessoas para baixo.

Pessoas assim sempre arrumam desculpas para não fazer coisa alguma. Para que tomar banho hoje, se amanhã vou estar sujo novamente? Por que escovar os dentes agora, se logo vou ter de comer novamente? Pessoas assim sempre têm uma justificativa para tudo, mas não têm fundamento de nada, não têm razão de nenhuma forma.

Fique longe dessas pessoas. Elas nunca lhe trarão nada de positivo, mas você tem pena delas e medo de se libertar desses "malas" e ser chamado de malvado, ou de insensível. Só para que você tome consciência, escreva uma lista de cinco pessoas assim, que você precisa eliminar da sua vida.

Agora seja corajoso e dê uma nota para você, de 0 a 10, avaliando o quanto você também é esse tipo de pessoa. Lembre-se que essa resposta não é para mim, mas sim para você se conscientizar de verdade sobre o que pode estar fazendo da sua vida.

Se você chegar à conclusão de que tem muita semelhança com esse tipo de pessoa, sugiro que reaja e mude de vida, corra atrás de ser uma versão melhor de si mesmo. Seja firme e se lembre que, se continuar afagando o próprio ego torto, nunca vai mudar de patamar na vida.

Aquela pessoa que tem iniciativa e "acabativa".

Nesta categoria se encontram os melhores *cases* do mundo, os profissionais, empresários, colaboradores, pais, mães, enfim, as pessoas que têm propósito, missão clara, objetivo claro, que sabem que nada cai do céu e que são elas mesmas que têm que construir o próprio caminho para o sucesso.

Essas são as pessoas que se orientam e se estimulam pelos exemplos positivos do mundo. Assumem no íntimo que promessa é dívida que deve ser paga, que palavra dada é ordem que deve ser cumprida, que vieram ao mundo para fazer parte do sucesso, e não participar da desgraça.

São multiplicadoras do que aprendem, compartilham o que funciona e orientam os outros sobre o que não funciona, pois acreditam que saber o que pode dar errado é tanto ou mais importante do que apenas ter certeza do que dará certo.

Ao mesmo tempo que são meigas, sensíveis, atenciosas e generosas, são também verdadeiros leões prontos para defender os próprios interesses.

Faça uma lista das pessoas você conhece e são assim. Depois, autoanalise-se e atribua uma nota, de 0 a 10, dizendo o quanto você é esse tipo de pessoa, que pega o compromisso e vai para cima dos problemas, que não arruma desculpas, e que vai lá e dá jeito de fazer o que é preciso.

Aproveite, agora que você identificou quem são as pessoas que merecem ser seguidas, vá aprender com elas. Esse é o meio em que vale a pena você viver e em que você deve aprender e crescer.

Em resumo, no seu ambiente de negócios ou você controla a situação ou será controlado por ela. Seja competente ou estará fora do jogo, apenas sobrevivendo, ganhando um pouco, vivendo um pouco, com pouco dinheiro, em uma casa simples, um carrinho básico, enfim, usufruindo muito menos de tudo aquilo a que tem direito.

Estamos falando aqui, a princípio, de negócios. Porém tem que ficar claro que, do jeito que você faz uma coisa na vida, você faz todas. Então, se não está satisfeito com a vida que tem, é sinal de que está com uma sucessão de coisas inacabadas e sem os fundamentos necessários para obter o sucesso desejado.

Então, tome uma posição agora e reaja. O que realmente importa é você assumir a sua responsabilidade por conquistar o próximo patamar de sucesso. Um degrau após o outro, em uma escalada decidida e corajosa como um autêntico Inútil Competente e Relevante.

ALGUMAS DIRETRIZES DA INUTILIDADE COMPETENTE E RELEVANTE

1. Perceba que a sua "acabativa" só existirá quando o seu motivo for forte o suficiente para superar a sua dor de prosseguir e vencer a facilidade de dar desculpas.
2. Trabalhe para construir uma versão melhor de si mesmo. Seja firme e lembre que, se continuar afagando o próprio ego, nunca vai mudar de patamar na vida.
3. Seja competente ou estará fora do jogo, usufruindo da vida muito menos do que tudo a que tem direito.

COMPRE PROBLEMAS INTELIGENTES

Tenho um conselho que gosto muito de dar para o pessoal do meu time de vendas: compre problemas inteligentes, que merecem a solução que você pode dar, mas não seja bonzinho, ou você vai se ferrar. Essa pode parecer uma ideia estranha a princípio, mas você vai entender do que estou falando.

Apenas para você lembrar, quando falo em resolver problemas gosto de citar que "todo problema já tem uma solução embutida nele" e que tenho um método infalível para encontrar essa solução, conforme explico com detalhes no meu livro *Gooo up*[*].

---

[*] *Gooo Up – aprenda o método infalível de como resolver problemas, conquistar qualquer objetivo e crescer acima de todas as expectativas*, disponível em: https://www.albertovendas.com/livros.

Entendo que, quando estamos diante de um problema, provavelmente seja por uma destas situações: ou herdamos o problema, ou fomos nós mesmos que o produzimos, ou nós compramos o problema.

No caso de comprarmos um problema, considero isso como o que temos de mais delicado. Por isso sempre digo: se você vai comprar um problema, então compre um problema inteligente. Não compre um problema de outra pessoa somente para ser gentil, para parecer bonzinho.

Vou dar um exemplo: se alguém lhe pedir para fazer algo, simplesmente para se livrar do problema que ele próprio tem nas mãos, você acha que tem sentido comprar esse problema? Você pode até pensar que não custa nada ajudar a pessoa, mas a verdade é que isso vai tirar você de seus próprios compromissos. E você vai lá e compra aquele probleminha, apenas para depois descobrir que, ao fazer o papel de bonzinho, você na verdade pagou de bobinho.

Costumo dizer que um problema inteligente é aquele que é útil para o seu crescimento. Mas é importante entender que a maioria dos problemas que você compra dessa forma que exemplifiquei não são inteligentes. Pelo contrário, você simplesmente usa o seu tempo e esforço para que a outra pessoa possa usar o tempo e o esforço dela em outra coisa mais importante – importante para ela, é claro.

É preciso entender que uma coisa é contribuir com o trabalho de alguém, e outra completamente diferente é tomar para si um problema que não é seu. Não queira ser um tapa-furo para os outros usarem, pois vai acabar comprando algo que não vai ser útil para você.

Quando for comprar um problema, procure perceber o que isso trará de benefício para você e se vale a pena assumir esse compromisso. Somente será vantajoso para você se a solução do problema que comprou lhe trouxer mais benefícios do que as atividades que você estava para fazer naquele momento em que recebeu esse pedido. Se o seu ganho for mais relevante, então podemos dizer que estará comprando um problema inteligente e utilizando isso a seu favor.

Um exemplo disso poderia ser alguém lhe pedir para buscar uma pessoa no aeroporto, e você perceber que essa é uma boa oportunidade para ter um contato próximo com essa pessoa, que pode vir a ser relevante para você de alguma forma. Então, está ótimo. Aproveite a jornada e tire proveito dessa oportunidade.

Avaliar cada situação, medir os prós e os contras e ver se faz sentido você assumir determinados compromissos por outra pessoa são fatores importantes que o ajudarão a se tornar um Inútil Competente e Relevante. Cuide bem disso, pois, caso contrário, você será sempre irrelevante diante do conceito das demais pessoas, o que dificultará a sua escalada para patamares maiores.

 ALGUMAS DIRETRIZES DA INUTILIDADE COMPETENTE E RELEVANTE

1. Compre problemas inteligentes, que merecem a solução que você pode dar, mas não seja bonzinho, ou você vai se ferrar.
2. Entenda que um problema inteligente é aquele que é útil para o seu crescimento.
3. Quando o seu ganho é relevante, podemos dizer que você está comprando um problema inteligente e utilizando isso a seu favor.

O "NÃO" NÃO É ETERNO

Este é um assunto delicado, que deixa muito vendedor de cabelo em pé: o medo enorme de ouvir um "não" do cliente.

O motivo de as pessoas não verem o "não" como positivo é que encaram essa resposta como se fosse uma coisa pessoal, como se elas mesmas estivessem sendo rejeitadas. Para muitos vendedores, um "não" soa como se fosse uma afronta à sua história.

Na realidade, o que falta é compreender que, quando o cliente diz "não", ele não diz isso para a pessoa, mas sim para a situação daquele momento. Em outras palavras, se você tem um cliente que acabou de lhe dizer um "não", entenda que não foi você quem recebeu o "não", mas sim aquela oferta que foi rejeitada. Além disso, é importante entender que um "não" nem sempre é definitivo. Em outro momento e em outras condições, o cliente pode mudar de ideia e dizer um "sim".

Vamos avaliar juntos alguns exemplos de "nãos" recebidos ao longo da vida:

- Você tentou fazer uma venda, mas o cliente falou que não teria recursos suficientes naquele momento para comprar. Perceba que ele disse "naquele momento". Então o "não" que ele disse não é eterno. Na verdade, um "não" dito nunca é eterno, na maioria avassaladora dos casos.
- Quando você pediu a mão de sua atual esposa em casamento, naquele momento, por situações adversas, como o fato de ela não estar trabalhando e não poder contribuir com recursos financeiros, ela disse "não". Não foi para você que ela disse "não", mas sim para uma situação financeira delicada naquele momento, o que é algo muito sensato. No entanto, você mesmo é prova de que mais tarde ela disse "sim", e o casamento aconteceu.
- Surgiu uma ótima possibilidade de trabalho ou de negócio para você, mas seria preciso se mudar em uma semana com toda sua "tropa" de filhos, esposa, cachorro, papagaio etc. Caso você não tenha a concordância da família, é bem provável que a sua resposta seja um "não". Mas esse "não" também não é eterno. Quem sabe essa oportunidade surja novamente em outro momento, em que todos da família estejam em condições de concordar, e então você diga um "sim".
- Você encontrou um grande cliente que o convidou para assessorá-lo em um projeto, responsabilidade que você não teria como assumir naquele momento, e então você disse "não". Mas frisou que em breve, quando fosse possível, seria um prazer contribuir. De novo, o "não" não é definitivo, não é eterno.

O grande problema das negociações é que as pessoas não compreendem, os vendedores não avaliam e os empreendedores esquecem que um "não" nunca é definitivo, ele é momentâneo e depende da situação. É muito importante lembrar do fato de que um "não" significa simplesmente "agora não". Naquele momento é "não", mas isso não é eterno.

Perceba que muitos profissionais de vendas se dão mal por não entenderem o que significa um "não". Eles têm dificuldade em entender o motivo do "não" e se frustram, muitas vezes até começando a duvidar de sua própria capacidade de vender.

É fundamental não entrar em desespero para vender e entender que não é bem assim que as coisas funcionam. Quanto mais experiência você tem, mais percebe que o "não" está aliado ao momento e que o "sim" só virá quando a sua preparação e a entrega forem convergentes.

Toda vez que você perceber que tem um "não" em uma negociação, tenha em mente que essa é uma situação temporária. Tenha paciência e aguarde a próxima oportunidade, sempre lembrando daquela frase popular que diz que "água mole em pedra dura tanto bate até que fura".

Um vendedor com grande potencial para evoluir entende que somente dando um novo significado para os "nãos" que vai receber pela frente é que ele se tornará um Inútil Competente e Relevante.

 ALGUMAS DIRETRIZES DA INUTILIDADE COMPETENTE E RELEVANTE

1. Acalme-se. Se você tem um cliente que acabou de dizer um "não", entenda que não foi você quem recebeu o "não", mas sim aquela situação momentânea que foi rejeitada.
2. Entenda que um "não" nem sempre é definitivo. Em outro momento e em outras condições, o cliente pode mudar de ideia e dizer um "sim".
3. Lembre-se sempre do fato de que um "não" significa simplesmente "agora não". Naquele momento é "não", mas isso não é eterno.

PAGUE PELO QUE NÃO TEM E COBRE PELO QUE VOCÊ TEM

Pague pelo que não tem e cobre pelo que você tem de diferencial competitivo. Isso vai fazer você decolar mais rápido do que imagina.

Vamos imaginar que o pneu do seu carro tenha furado na beira de uma estrada, à noite, com sua família, e você não saiba como o trocar. Você ficaria ali parado a noite toda, tentando dar um jeito, com o risco de assalto ou algo muito pior, ou ligaria para um socorro mecânico que poderia atendê-lo em um tempo bem razoável? Não seria muito mais lógico você pagar pela ajuda de que precisa?

Falo isso porque, em muitos casos, profissionais não querem pagar pelo que não têm. Em especial, não querem pagar para adquirir experiência, treinamento, mentoria, orientação de especialistas etc. Insistem em fazer algo que não conhecem e não sabem como fazer, até que acabam tendo prejuízos enormes ou não conseguindo crescer tanto quanto poderiam.

Existem pessoas que tentam fazer por si mesmas o que não sabem e teimam com isso até não terem mais como conseguir sucesso, seja porque o tempo passou, seja porque a questão deixa de ter relevância, seja porque não conseguiram sustentação de suas ações. No final, desgastam-se e não obtêm o que buscavam e muitas vezes perdem oportunidades excelentes na vida ou nos negócios.

O pior de tudo é que, na maioria das vezes, essas pessoas agem assim porque não querem gastar dinheiro, não querem investir. E no final das contas acabam amargando um prejuízo muito maior do que se tivessem pagado pela ajuda adequada. É como o velho ditado diz: "o barato sai caro".

Aprendi que é mais barato e mais inteligente pagar para aprender o que não sei, ou para obter um serviço para o qual não sou qualificado, do que ficar perdendo tempo e dinheiro persistindo em algo que só me desgasta e acaba não dando os resultados de que preciso. É muito mais prático ter alguém para me ensinar ou fazer por mim. Então, seja inteligente: pague pelo que você não tem, pare de ser mesquinho e seja prático.

O outro lado dessa história é que você precisa também reconhecer o seu próprio diferencial competitivo, ter consciência daquilo em que você é bom, para que possa cobrar bem pelo que sabe e é capaz de fazer no mercado. Comece exercitando esse raciocínio agora mesmo. Faça uma lista, por escrito, descrevendo os seus principais diferenciais competitivos, listando aqueles temas em que você é bom, e anote o valor de cada um desses diferenciais e o quanto você pode cobrar por eles.

A seguir, faça uma lista relacionando pelo menos cinco pessoas ou empresas que precisam do seu diferencial competitivo, da sua expertise, e que poderiam vir a ser seus clientes.

Em resumo, perceba que você tem qualidades especiais e existem pessoas que pagariam por seus atributos, da mesma forma que você deve pagar para outros profissionais que possuem algo relevante e competitivo que você não tem. Acredito que agora você esteja entendendo o que representa tudo isso e como funcionam as trocas na vida e no mundo dos negócios. E, muito importante, você também já tem consciência de que o dinheiro é um facilitador desse fluxo de trocas de necessidades e potencialidades. Portanto, pague o que tem que pagar e cobre o que tem que cobrar.

Para deixar esta conversa ainda mais prática, faça agora uma lista, por escrito, dos cinco principais pontos em que você sente que poderia precisar de ajuda em sua vida ou em seus negócios. A seguir, faça uma lista relacionando pelo menos cinco pessoas ou empresas que poderiam lhe fornecer essa ajuda.

Tenha isto sempre em mente: os grandes *players* Inúteis, Competentes e Relevantes sabem que é melhor pagar pelo que não se tem do que perder tempo e oportunidades insistindo em inventar o que já existe à sua disposição no mercado.

Costumo dizer que não existe forma de você ter sucesso sozinho. É preciso haver uma interação com outros profissionais e outras pessoas, com trocas úteis e convenientes, para que você possa atingir o ápice na sua vida, tanto no campo pessoal quanto no profissional.

 ALGUMAS DIRETRIZES DA INUTILIDADE COMPETENTE E RELEVANTE

1. Pague pelo que você não tem e cobre pelo que você tem de diferencial competitivo. Isso vai fazer você decolar mais rápido rumo ao sucesso.
2. Evite o erro de insistir em tentar fazer por si mesmo o que você não sabe. Teimando nessa atitude você vai perder grandes oportunidades.
3. Perceba que você tem qualidades especiais e existem pessoas que pagariam por seus atributos, da mesma forma que você deve pagar para outros profissionais que possuem algo relevante e competitivo que você não tem.

O QUE IMPORTA É O SEU RESULTADO

Um cachorro correndo atrás do próprio rabo faz um esforço enorme e não consegue nenhum resultado: ele não sai do lugar e muitas vezes nem mesmo consegue pegar seu rabo. É por isso que digo que não importa o seu esforço, o que vale mesmo é o seu resultado.

Agora, me diga: quantas vezes você já viu pessoas que não possuem resultados, mas falam que se esforçam muito? Ou que estão sempre na batalha, mas nunca conseguem mudar de patamar? Ou ainda, quem sabe, pessoas que trabalham 18 horas por dia, ano após ano, e não têm sequer uma casa própria para morar? Você sabe por que isso acontece? Porque o esforço é empregado de maneira equivocada.

Pode parecer desanimador o que estou dizendo, mas é preciso pensar nisso. O seu esforço realmente não tem valor algum se não gerar resultados. Não adianta achar que vai ser premiado ou recompensado pelo seu esforço. Somente isso não vai ajudar você a subir de patamar. Se não tiver resultado concreto e substancial advindo do esforço que faz, você estará fadado a viver à mingua o resto da sua vida.

Muitos culpam a sociedade por seus fracassos, alegando que ela não lhes dá chances. Afinal, se eles se esforçam tanto, por que não progridem? Mas será que é a sociedade que não lhes dá oportunidades, ou são eles mesmos que não têm entrega e por isso as pessoas não os veem como bons candidatos a serem grandes *players* na vida?

Pense um pouco no seu próprio caso. Pegue papel e caneta e escreva:

- Há quanto tempo você faz as mesmas coisas, mas não obtém resultados relevantes?
- O que você faz hoje e poderia fazer de modo diferente, para que os resultados sejam impulsionados?
- Relacione três ações novas que você pode fazer para ter mais resultados a partir de seus esforços.

Avalie se o seu esforço já não virou padrão, como uma marca registrada de um trabalhador dedicado, mas sem efeito real na sociedade, ou seja, sem entrega significativa, que mereça destaque.

Tome muito cuidado para não assumir aquela posição de quem faz, mas não sabe o que faz, nem por que faz, nem o que ganha com isso. Fazer algo sem uma linha estruturada é a mesma coisa que não fazer. Fazer por fazer, sem visão do todo, sem saber o que quer, sem saber como deve se alinhar, não serve. É por isso que tem gente que trabalha a vida toda enlouquecidamente, mas nada constrói. De nada adianta correr sem saber aonde quer chegar.

Vamos exercitar esses conceitos. Liste cinco pessoas que você sabe que trabalham como loucas, mas nunca conseguem mudar de patamar na vida. Escreva também o que você teria a dizer para essas pessoas, depois de ter lido este capítulo. E para você mesmo, o que tem a dizer?

Aprenda a pensar em resultados toda vez que tiver que empreender algum esforço. Quando há o casamento perfeito entre o esforço e a ação compatível, sempre existe um resultado positivo.

ALGUMAS DIRETRIZES DA INUTILIDADE COMPETENTE E RELEVANTE

1. Fique atento. Entenda que não importa o seu esforço, o que vale mesmo é o seu resultado.
2. Não culpe a sociedade por não lhe dar oportunidades. Somente você é responsável pelo seu sucesso ou fracasso.
3. Tome muito cuidado para não assumir aquela posição de quem faz, mas não sabe o que faz, nem por que faz, nem o que ganha com isso. Fazer algo sem uma linha estruturada é a mesma coisa que não fazer.

PREPARE A SUA DECOLAGEM PARA PATAMARES MAIS ALTOS

Não importa o que você sabe, o que estudou ou do que entende bem. Se não partir para a aplicação prática, de nada vale. Portanto, arregace as mangas e faça o que é necessário para o seu sucesso.

UM INÚTIL DE RESPEITO

A inutilidade competente e relevante faz de você um profissional inútil, mas tremendamente respeitado. E esse é um dos ápices de sua carreira profissional, seja em que área for.

Existe uma coisa em que acredito e que pode definir o nosso modo de ser e de viver: sempre há alguém no mundo que usa você como modelo, como referência, que quer ser como você.

Então, imagine a importância da impressão que você deixa no mundo, já que o que você pensa, diz e faz afeta não só você mesmo, mas também outras pessoas. E tem mais: quanto mais sucesso você tiver, quanto mais for um Inútil Competente e Relevante, muito mais gente vai se inspirar em você. Pense então no tamanho da sua responsabilidade neste mundo e como é importante procurar ser sempre um exemplo positivo e construtivo.

Pense que, quando olharem para você, reconhecendo como a sua inutilidade competente vem fazendo maravilhas no mundo e deixando marcas nas pessoas ao longo do seu caminho, a sua grande recompensa será ver muitas delas pegando o mesmo trajeto, inspiradas em você, construindo suas próprias inutilidades competentes e relevantes e, dessa forma, subindo de patamar e tendo uma vida mais completa e feliz.

Em especial na área de negócios, a sua inutilidade irá gerar tamanha autoridade no seu nome que as pessoas irão querer saber de você como é possível fazer toda essa estratégia funcionar tão bem. Vão querer aproveitar seus ensinamentos para também evoluírem profissionalmente, além de abrirem mais negócios, mais oportunidades, unirem-se a muito mais gente boa e competente e ampliando toda essa sinergia que você vem plantando no mundo.

Uma das melhores formas de avaliar o tamanho da sua inutilidade competente e relevante é perceber quantas pessoas têm mudado de vida com tudo o que você foi capaz de fazer para elas. Não estou falando aqui apenas de dinheiro, que também é importante. Mas estou falando em especial de mudança de pensamento, de consciência, de patamar, de crença, de autoconfiança, e tantas outras coisas que elevam o patamar de qualidade de vida das pessoas.

Quando uma pessoa mencionar seu nome, lembrando de como a vida dela melhorou porque pôde aprender com seus ensinamentos, nesse momento você vai ter certeza de que se tornou um inútil de respeito.

 ALGUMAS DIRETRIZES DA INUTILIDADE COMPETENTE E RELEVANTE

1. Compartilhe seus conhecimentos com o maior número de pessoas possível. Seja um agente para promover as mudanças necessárias na vida das pessoas.
2. Faça dos sonhos das pessoas uma parte importante dos seus próprios sonhos. Ajude o maior número possível de pessoas a evoluir e você se tornará um inútil de respeito.
3. Acredite: uma das melhores formas de avaliar o tamanho da sua inutilidade competente e relevante é perceber quantas pessoas têm mudado de vida com tudo o que você foi capaz de fazer para elas.

UM TIME DE FERAS

Costumo aconselhar as pessoas que oriento a encontrarem doze profissionais que estejam melhores do que elas na vida, a quem tenham acesso de alguma forma, e busquem aprender com cada um.

Falo em doze profissionais porque a ideia é que a pessoa possa seguir, a cada mês do ano, um profissional com uma característica diferente, que possa ser *hackeado* como meio de aprendizado. Desse modo, a pessoa que estuda cada um desses profissionais terá condições ideais para avaliar e incrementar sua própria trajetória, nas mais diversas frentes de interesse humano.

Entre essas diversas áreas do conhecimento profissional que considero importantes, quero sugerir aqui que você selecione, como referência para o seu aprendizado, uma pessoa com cada uma das características a seguir:

1. O disciplinado

É muito importante entender que sem disciplina o jogo sequer começa. O profissional disciplinado sabe que, sem estar 100% comprometido com o que deve ser feito, sem desculpas, ninguém arranca nem sai da garagem.

2. O obstinado

O obstinado cuida do seu negócio durante as 24 horas do dia, todos os dias, todas as semanas, o ano todo. Está constantemente atento ao que deve ser feito. Foca com atenção total nos seus objetivos e tem a capacidade de não se distrair com nada. O obstinado é aquela pessoa que cresce com grande velocidade e sempre está em busca de novos desafios, para se lançar a novos patamares.

3. O resiliente

Esse é o profissional que, mesmo apanhando muito do mercado, da sociedade, da vida, nunca desiste. Sempre sai da desgraça com determinação, com jogo de cintura, vai para cima dos problemas e transforma sua vida em algo realmente espetacular.

4. O *worklover*

Algumas pessoas dizem *workaholic*, mas prefiro dizer *worklover*, pois sem paixão e fogo não há como sustentar uma carreira empreendedora de sucesso. O *worklover* não é um viciado em trabalho, mas sim um apaixonado por tudo o que faz. Ele tem uma certeza bem definida: o sucesso sempre está à sua espera. E segue se divertindo enquanto trabalha e constrói o seu futuro.

5. O especialista em relacionamento e conexões

Sem conexões poderosas você nunca será relevante ou terá um destaque significativo. Quanto mais você entender que relacionamentos verídicos conectados têm o poder de fazer sua carreira decolar, tanto mais vai se transformar em um Inútil Competente e Relevante. Somente com boas conexões é possível o desenvolvimento de contatos e negociações relevantes. Sem bons relacionamentos, a magia do sucesso não acontece.

6. O ousado

O ousado é aquele profissional que paga o preço do aprendizado e dos desafios, fazendo com que a alegria de descobrir novas frentes seja maior do que qualquer dor que venha a sofrer durante a jornada. Ele sabe que, quanto mais ousado for, mais desafios vai ter de enfrentar e mais tombos irá levar, mas isso não inibe sua ousadia e sua vontade de desbravar novas frentes de crescimento. O profissional ousado trabalha sempre com a certeza de que quanto maiores forem os desafios, maiores serão as oportunidades de desfrutar do prazer das grandes vitórias.

7. O persistente

Como diz uma frase popular, a persistência é o caminho do êxito. Mas precisamos entender também que existe um limite para insistir em uma mesma ação. Uma coisa é você persistir naquilo que lhe trará resultados, e outra é continuar seguindo em frente, sem olhar para onde está indo ou se a direção está certa. Cuidado com isso. O profissional persistente e responsável sempre usa a persistência a seu favor, para crescer e evoluir.

8. O visionário

Nunca vi nenhum caso de sucesso em que o profissional não fosse um visionário. Claro que há alguns que enxergam mais longe do que outros, mas todo empreendedor de sucesso sempre vê algo que ainda não está sendo percebido pela maioria. A partir daí ele começa a traçar planos e empreender ações para alcançar a realização da sua visão.

Os visionários enxergam anos à frente, sempre estimulando sua capacidade de achar caminhos para que seus objetivos sejam conquistados. Muitas vezes são chamados de loucos, o que por si só já é um bom sinal de que estão no caminho certo.

9. O família

É vital que um empreendedor saiba valorizar a família, em especial aquele que é um grande caso de sucesso comprovado. Afinal, toda pessoa de sucesso sempre tem respaldo no apoio de quem faz parte de sua vida com mais proximidade. Mas aqui não falo somente de pais, irmãos, cônjuge, filhos e outros tantos apoiadores naturais do empreendedor. Falo também de outras pessoas que estão sempre ao lado do profissional, que demonstram o respeito, o apoio e o carinho que ele merece. E, é claro, falo também daquela "família" de colaboradores que atua corrigindo e contribuindo na jornada do profissional, sempre que necessário.

O respeito por essas famílias é parte fundamental do profissional que avança com determinação e segurança para se tornar um autêntico Inútil Competente e Relevante.

10. O líder prático

O líder prático é aquele profissional que já fez muito de tudo o que ensina a fazer e ainda continua fazendo. Um líder prático sabe que o aprendizado teórico é a base para um melhor entendimento, mas que somente quando ele é aplicado na prática é que produz resultados.

11. O estudioso

Um profissional nunca vai ser um caso de sucesso sem estudar o que importa para sua profissão, para o seu empreendimento e para os seus negócios. Não estou falando de estudo formal apenas; refiro-me principalmente ao empenho em obter informação relevante e de qualidade para ser utilizada na construção dos seus negócios.

Se você tiver um estudo diplomado, que na sua visão seja útil para os seus negócios, ótimo! Assim você estará ainda mais preparado, teoricamente falando. Mas lembre-se de que ser um estudante e ser um estudioso são coisas bem diferentes. Seja um estudioso dos detalhes do seu negócio e aplique na prática tudo o que aprender.

12. O fazedor

Prefiro muito mais um burro entusiasmado (eu mesmo me considero como tal), que faz o que é preciso, àquele profissional que diz belas palavras, recitadas em versos e poemas, mas vive apoiado nas costas do pai, da mãe ou da família, sempre reclamando da empresa onde trabalha, do governo e dos amigos.

Sendo bem direto e contundente, digo: saia logo de perto dessas antas! Procure se aproximar de uma pessoa que realmente faz o que é preciso, e até mais do que isso, construindo o caminho que o leva para o sucesso. Esse, sim, é um caso digno de ser *hackeado*, modelado, copiado, imitado. Aprenda com ele e teste tudo o que ele faz de prático.

Cabe lembrar aqui que, embora eu esteja sugerindo um programa com um ano de duração, é importante que você renove consigo mesmo esse compromisso de aprendizado, ano após ano, de modo que seu desenvolvimento seja constante e eterno. E a cada ano você acrescente novas habilidades e conhecimentos ao seu currículo, de modo a aprimorar tudo o que é significativo para chegar a ser um Inútil Competente e Relevante e permanecer nessa condição, galgando patamares cada vez maiores do seu sucesso.

 ALGUMAS DIRETRIZES DA INUTILIDADE COMPETENTE E RELEVANTE

Siga pessoas que têm sucesso comprovado e molde o seu jeito de ser de acordo com o que é preciso para atingir o topo do sucesso e permanecer por lá. Resumindo e reforçando o que discutimos neste capítulo, trabalhe e se empenhe para ser:

1. Disciplinado – Entenda que sem disciplina o jogo do sucesso sequer começa.
2. Obstinado – Esteja sempre em busca de novos desafios, para se lançar a novos patamares. Nunca amoleça na sua jornada para o sucesso.
3. Resiliente – Mesmo que você apanhe muito do mercado, da sociedade, da vida, nunca desista. Dê a volta por cima e retorne com mais força ainda.
4. *Worklover* – Não seja um viciado em trabalho, mas sim um apaixonado por tudo o que faz.
5. Especialista em relacionamentos – Sem conexões poderosas você nunca será relevante.
6. Ousado – Pague o preço do aprendizado e dos desafios, independentemente das dores que venha a sofrer durante a jornada.
7. Persistente – Use a persistência com sabedoria e responsabilidade, de modo que ela trabalhe a seu favor, para crescer e evoluir.
8. Visionário – Entenda que nenhum caso notável de sucesso existe ou existiu sem que o profissional seja um visionário.
9. Profissional de família – É vital que um empreendedor saiba valorizar a família. Todo homem de sucesso sempre tem que buscar respaldo e apoio de quem forma a base emocional de sua vida.

10. Um líder prático – Seja aquele profissional que já fez muito na vida, e continua fazendo, e que ensina aos outros o que sabe que funciona na busca pelo sucesso.
11. Estudioso – Seja um estudioso dos detalhes do seu negócio e aplique na prática tudo o que aprender.
12. Fazedor – Procure se tornar uma pessoa que realmente faz o que é preciso, e até mais do que o necessário, construindo o caminho para o sucesso.

QUE VOCÊ HONRE A SUA NOVA E MELHOR HISTÓRIA

Enfim, agora você tem em mãos as principais características, pensamentos, estratégias e demais requisitos para se transformar em um profissional Inútil, Competente e Relevante, já que eles abrirão as portas para que você alavanque sua carreira e suba para patamares cada vez mais altos na sua jornada rumo ao sucesso. Aproveite bem, estude, medite sobre cada um desses pontos discutidos aqui e, o mais importante, aplique na prática tudo o que você aprendeu e transforme pensamentos em ações, ações em resultados e resultados em um sucesso cada vez mais constante, consistente e duradouro.

Este era para ser o recado final que eu queria passar para você, mas, quando cheguei a este capítulo, fiquei aqui pensando em que mais poderia contribuir para sua grande jornada na escola da vida, em busca de se tornar um Inútil Competente e Relevante.

Muitas coisas vieram à minha cabeça, mas confesso que falar sobre tudo o que pensei prolongaria muito este livro, o que não convém, porque, afinal, os melhores ensinamentos sempre vêm em doses homeopáticas. E na realidade acho que já foram muitas páginas com orientações para que você possa reorganizar sua mente para o grande salto da sua vida, para se tornar um autêntico inútil relevante, competente e significante.

E aqui estou eu ainda tentando parar de escrever, mas sem conseguir, porque estou altamente entusiasmado com a ideia de que você vai poder transformar todas essas informações em ferramentas poderosas para o seu sucesso.

Quero muito que você transforme seu melhor no seu extraordinário e por isso sinto uma vontade enorme de continuar falando para você tudo o que é importante para construir o seu sucesso.

Mas o espaço deste livro é limitado e vamos ter mesmo que deixar para continuar depois esta nossa conversa. Por isso resolvi reservar uma boa dose de material e muitos outros assuntos relevantes para nossos próximos encontros, em palestras, treinamentos, mentorias e também nos meus próximos livros.

Antes de encerrar, quero honestamente sugerir que você nunca mais escute pessoas que não chegaram aonde você quer chegar, mas mesmo assim querem palpitar na sua vida. Digo a você categoricamente para que se afaste delas, porque elas certamente não têm como contribuir para o seu sucesso; e o achismo sem fundamentos e a negatividade que praticam podem fazer com que você perca energia.

Tenha a visão de que, diferentemente do que a sociedade quer nos fazer acreditar, seu grande ápice de sucesso virá de você compartilhar e multiplicar com as pessoas e com o seu time os seus grandes acertos e as experiências aprendidas com seus erros. Quando você ajuda muitas pessoas a transformarem para melhor suas carreiras e sua vida, elas impulsionam você para ainda mais alto nos patamares de sucesso.

Faça uma avaliação do quanto na sua jornada você vem sendo útil para outras pessoas e o quanto realmente as tem ajudado a crescer e a chegar aos patamares onde elas desejam estar.

Sinta orgulho da sua força e do seu discernimento nas batalhas da vida e honre a sua nova e melhor história, que ganhará projeção a cada dia. Lembre-se que eu mesmo honro não só a minha própria história, mas também a sua história, mesmo sem conhecer você profundamente. Pois acredito que não existe um só ser humano que não tenha nascido para o sucesso.

O que diferencia um ser humano do outro não é o tipo do espermatozoide que gerou cada um, nem mesmo ele ter sido carimbado com algo como "este ser humano será milionário" ou "aquele será um pobretão". O que de verdade acontece é que cada ser humano carimba a própria vida e o próprio destino com as ações que pratica. E pode ter certeza: as ações de pessoas Inúteis, Competentes e Relevantes são muito potentes na construção de uma vida plena, bem-sucedida e feliz.

Entenda que o ápice do seu sucesso começa na quebra dos paradigmas que estão na sua mente. Assim como quebrei os meus e galguei os degraus que me levaram ao topo do sucesso, você também pode fazer isso na sua vida.

Quem conhece um pouco da minha história sabe que eu não estudava, era um inútil irrelevante e incompetente, e fui "convidado a me retirar" de duas escolas públicas. Enfim, era para ser um verdadeiro "bosta" que, além de não servir para nada, ainda atrapalhava os colegas.

Mas sabe o que aconteceu? Uma mudança total de mentalidade e uma quebra de paradigmas que me ajudou a entender que não é a sociedade que impõe quem eu sou ou serei; o que vale é como eu me vejo perante a sociedade, perante o mundo e, principalmente, perante a mim mesmo.

Não interessa o seu QI, mas sim o seu QA – Quociente de Atividades. Entenda que seu grande sonho começa a se realizar quando você decide fazer as atividades necessárias – mesmo que seja uma mínima atividade viável, inicialmente – na direção de se tornar um profissional Inútil, Competente e Relevante.

Recomendo ainda que você se cerque de pessoas que tenham como contribuir para a sua elevação e o seu sucesso. Evite pessoas com energia, pensamentos e atitudes que podem levá-lo para baixo. Afaste-se das antas que rondam você, porque elas vão tentar convencê-lo a se contentar com uma vidinha como a delas, com uma casinha, um carrinho, um dinheirinho, um pouquinho disso e um tantinho daquilo, em uma pequenez de dar dó.

Livre-se logo desse mal, passe a olhar para horizontes mais amplos e ricos e se junte a pessoas que acreditam que nem o céu é o limite, porque creem que são capazes de ir muito além do céu.

Existe uma frase que uso muito para me manter alerta sobre isso e também para avisar as pessoas que oriento: "lembre-se que minhoca não anda com jacaré". Isso é você quem decide, mas saiba que, dependendo do que escolher, você será a minhoca ou o jacaré. E minhocas não sobrevivem por muito tempo na estrada desafiadora do sucesso.

Entenda de uma vez por todas que o sol nasceu para todos, mas que um lugar à sombra está reservado somente aos Inúteis Competentes e Relevantes.

Precisamos estar unidos na jornada universal do sucesso do Inútil Competente e Relevante, que, além do próprio sucesso pessoal, fará com que seus parceiros, seu país e a sociedade como um todo cresçam. E ainda vamos contribuir para a formação de mais profissionais com a capacidade de se transformar e conquistar o direito de ter uma vida plena com uma liberdade que só o dinheiro é capaz de proporcionar.

Um grande pedido que tenho a fazer para você é: nunca abandone você mesmo e seus sonhos, por mais que às vezes seja difícil continuar. Entenda que você sempre deixará pegadas no caminho que percorrer, que serão seguidas por muitos outros, inspirados pelo seu exemplo. Por isso é grande a sua responsabilidade. Faça questão de que suas pegadas sempre conduzam as pessoas ao sucesso e à realização.

Este livro não é para os fracos. Escrevi esta obra como um grito de liberdade para que mais pessoas e profissionais o usem para transformar sua vida. Não é para aqueles que têm medo de ser feliz e de ter sucesso na vida, e que ficam sentados esperando o trem da vida passar e perdem o momento de embarcar no vagão do sucesso e da realização.

Desejo que você tenha uma vida plena, que realmente se torne um Inútil Competente, Relevante e Significante capaz de realizar todos os seus sonhos, que se dê a chance de se tornar um milionário, se for isso que você desejar.

Você pode fazer isso, acredite. Então, coloque de lado as suas dúvidas, os seus paradigmas negativos e as suas crenças limitantes e pegue tudo o que Deus lhe deu e faça por merecer todas as bênçãos que você tem recebido.

Vamos caminhar juntos e construir um sucesso ainda maior para todos nós.

Um forte abraço,

Alberto Júnior

Livros para mudar o mundo. O seu mundo.

Para conhecer os nossos próximos lançamentos
e títulos disponíveis, acesse:

🌐 www.**citadel**.com.br

f /**citadeleditora**

📷 @**citadeleditora**

🐦 @**citadeleditora**

▶ Citadel – Grupo Editorial

Para mais informações ou dúvidas sobre a obra,
entre em contato conosco por e-mail:

✉ contato@**citadel**.com.br